1.ª edición: 2019
8.ª impresión: 2026

© Edelsa, S. A. Madrid, 2019
© Autora: Mónica García-Viñó

Equipo editorial
Coordinación: María Sodore
Edición: Pilar Justo
Corrección: Ester Carrasco
Diseño de cubierta: Carolina García
Maquetación: Estudio Grafimarque

ISBN: 978-84-9081-718-6
Depósito legal: M-37248-2019

Impreso en España/*Printed in Spain*

Locuciones
ALTA FRECUENCIA MADRID. Voces: Juani Femenía, José Antonio Páramo
Bendito Sonido (grabación y edición de audio). Voces: Olga Hernangómez, Ángel Morón

Nota: La editorial Edelsa ha solicitado todos los permisos de reproducción correspondientes y da las gracias a quienes han prestado su colaboración.
«Cualquier forma de reproducción de esta obra solo puede ser realizada con la autorización de la editorial, salvo excepción prevista por la ley. Diríjase a CEDRO (Centro Español de Derechos Reprográficos, www.cedro.org) si necesita fotocopiar o escanear algún fragmento de esta obra».

SOLUCIONES COMENTADAS

EXAMEN 1. LAS PERSONAS Y LA VIVIENDA

Prueba 1. Comprensión de lectura

Tarea 1

1-a) Roxana habla de la oficina, de los compañeros de trabajo, de su jefe y del horario. Ese es el tema central del correo y es el motivo por el que está en Barcelona; **2-b)** Dice que es algo *temporal* y que *afortunadamente se acaba pronto*, es decir, va a estar poco tiempo; **3-a)** De Susana dice que es tímida y reservada, es decir, poco sociable; **4-b)** De Adela, Roxana dice que es simpática. *Me río mucho con ella*, por tanto, es una persona divertida; **15-b)** Sobre los muebles, dice que son *muy antiguos y oscuros*, y los compara con los de su casa, que son más modernos, con lo cual, la casa tiene muebles que son viejos.

Tarea 2

6-b) El anuncio habla de la posibilidad de merienda especial para niños con *alergias o intolerancias alimenticias*, con lo cual, preparan comida diferente para niños con problemas de salud; **7-c)** El anuncio dice: *qué mejor regalo que un periódico real del primer día de su vida*, esa es la propuesta de regalo; **8-a)** Habla de terapias para *niños, adolescentes y adultos*, es decir, para todas las edades; **9-b)** La oferta dice que *solo hay 2 000 unidades*, así que solo es para los dos mil que compran antes; **10-c)** Dice que es una empresa *especializada en servicio doméstico de calidad*, con lo cual, ofrece servicio de personal doméstico; **11-c)** Ofrecen servicio de canguro, es decir, tienen personal para cuidar a los niños; **12-a)** Menciona que busca *persona con experiencia en cuidado de ancianos* (mayores); **13-c)** Para participar en este programa de alquiler, hay que *ser mayor de edad*, es decir, tener más de dieciocho años, para solicitar una vivienda.

Tarea 3

14-b) Jorge dice que alquilaron un apartamento de solo treinta metros cuadrados y que solo tenía una habitación que usaban como salón, dormitorio, cocina… y *un cuarto de baño mínimo*, o sea, que era pequeño; **15-a)** Ernesto dice que después de dos meses *su primo y él decidieron buscar otro apartamento*, es decir, cambió pronto de casa; **16-c)** Víctor dice que la familia que vivía arriba era *muy ruidosa* y los de la puerta de al lado *dejaban la basura en la escalera*, o sea, que tuvo problemas con sus vecinos; **17-a)** Ernesto afirma que su primo le propuso irse a vivir con él y con otros dos compañeros y, más tarde, cuando tuvieron problemas, se *fue a vivir a un piso de estudiantes*, o sea, que tuvo que compartir piso; **18-b)** Jorge dice que su apartamento estaba *en el quinto piso y no había ascensor*, es decir, tenía que subir muchas escaleras; **19-c)** Víctor dice que tenía claro que *no quería compartir piso* y que después de mucho buscar, *consiguió un apartamento perfecto*, o sea, que consiguió vivir solo.

Tarea 4

20-b) En el primer párrafo se habla de cambio y de algunas cosas que se han pedido por la comodidad que ofrece la tecnología. Durante toda la lectura se deduce que la tecnología ha cambiado muchos hábitos; **21-c)** El texto dice que *antes, para saber de otras personas, se escribía una carta*; **22-c)** Han aparecido en las consultas de los psicólogos problemas relacionados con el abuso de las nuevas tecnologías; **23-c)** Dice que *con solo un clic se pueden encontrar los más variados libros virtuales*, con lo cual, es fácil buscar libros a través de Internet; **24-a)** Dice que ahora los jóvenes no saben escribir, lo que significa que escriben peor que antes; **25-a)** En el texto se menciona que ya *no hay que salir a la calle a buscar pareja. Muchas se han formado a través del chat*, con lo que se encuentra novio o novia por Internet.

Prueba 2. Comprensión auditiva

Tarea 1

1-b) La mujer dice que le interesa el primer piso de los dos que ha descrito el hombre, es decir, el que tiene tres dormitorios y dos baños; **2-c)** La madre dice: *Deja todo y ponte con el examen inmediatamente*, es decir, lo que va a hacer ahora es estudiar; **3-a)** El hombre comenta dos fotos, una en la que solo están sus hijos, que es la correcta. Luego habla de otra foto donde hay cuatro niños, Marta, los gemelos y otra niña, la sobrina de su mujer; **4-c)** El hombre dice que se llevaron, o sea compraron un mueble para la televisión; **5-a)** La mujer dice que su dormitorio *da al jardín*; **6-c)** La mujer pregunta quién era la chica de pelo largo y rizado, y el hombre contesta que es Ana.

Tarea 2

7-c) En el texto se habla de sentirse solo, de encontrar a la persona para compartir tu vida y de encontrar el alma gemela. *Dice que la agencia… te ayuda a encontrar a la persona ideal*, es decir, el amor que busca; **8-a)** Se dice que el *parking* es gratuito (no se paga) para los cien primeros asistentes, es decir, los cien primeros invitados; **9-b)** La revista sale *mañana jueves*, es decir, no se puede comprar aún. Añade que contiene *artículos de expertos psicólogos* y que es un *número dedicado a los problemas de la adolescencia*, no da consejos; **10-b)** El libro se titula *Aprende a comunicarte*, y es un libro de autoayuda (de psicología) para *aprender a hacer interesantes tus conversaciones*; **11-c)** El anuncio dice: *Ven al zoológico, si quieres celebrarlo [el cumpleaños] de un modo especial*, es decir, se puede celebrar allí el cumpleaños. Además, añade: *Cumpleaños en el zoológico: educación y diversión*; **12-b)** El anuncio dice: *¿Vais a ser padres...?* y luego, *En nuestra guía* Llega la cigüeña... *más de cien prácticos consejos para los futuros papás*, con lo cual, no es solo para madres ni para médicos.

Tarea 3

13-b) Isabel dice que tiene dos niños preciosos; **14-c)** Ángel no menciona nada sobre estudios e Isabel dice que está pensando ir a la universidad, pero no que está estudiando ahora, o sea, ninguno de los dos está estudiando en este momento; **15-a)** Ángel dice que trabajaba en un banco, pero le *ofrecieron una oportunidad en una multinacional*, o sea, que ha cambiado de trabajo; **16-b)** Ángel dice que viaja mucho por trabajo y que ha estado en París; Isabel no menciona nada al respecto, o sea, ninguno de los dos habla de cambiar de ciudad; **17-b)** Isabel menciona que está buscando casa y que prefiere no alquilar, o sea, va a comprar una casa; **18-a)** Ángel dice que ha quedado para comer, es decir, tiene planes para la comida.

Tarea 4

19-a) Llaman de la agencia para comunicarle que el piso ya lo ha vendido, con lo cual, alguien lo ha comprado. Además, dice que puede *pasar por nuestra oficina* y *ver otros pisos que le pueden interesar*; **20-h)** La persona que habla pregunta: *¿Quieres venir conmigo?* Es decir, pueden ir juntas; **21-d)** La persona llama por el anuncio en el que buscan *un compañero de piso*, es decir, quiere compartir casa; **22-e)** Cuando una pareja se casa e invita a otra a la boda, lo normal es hacer un regalo. En este caso la persona dice *No tengo ni idea de qué comprarles*; **23-c)** La persona que llama dice que *no pueden llevarles la cocina que compraron* porque en el impreso *no está claro el nombre de la calle*, es decir, hay un problema con la dirección; **24-i)** La persona que llama no puede ir a por la tarta y pregunta: *¿Puedes ir tú?*, es decir, le está pidiendo un favor; **25-g)** Llaman de la consulta para informar al paciente de que el doctor Laredo *no va a estar el próximo miércoles* y que esperan su llamada para saber qué día le conviene, es decir, tiene que poner otra cita.

EXAMEN 2. COMPRAR, IR DE COMPRAS Y COMER FUERA

Prueba 1. Comprensión de lectura

Tarea 1

1-b) La persona que escribe habla de sus planes para su semana de vacaciones y pregunta a su amiga: *¿Por qué no vienes conmigo?*, es decir, la invita a salir con ella; **2-a)** Por el tono del correo se deduce que son amigas. Le dice que le envíe un mensaje al móvil y se despide con *Un beso*; **3-b)** Alicia dice que ha perdido algunos kilos y que no tiene ropa, eso significa que le queda grande. **4-c)** Alicia dice que pensaba ir al nuevo centro comercial: *Tengo ganas de conocerlo*; **5-c)** Alicia puede quedar todos los días de la semana excepto el martes porque tiene que ir al dentista por la mañana y por la tarde no va a estar bien.

Tarea 2

6-c) Existen dos tiendas en la ciudad y la nueva está fuera de la ciudad, en el km 10 de la carretera de Villahermosa; **7-a)** Por el texto se deduce que se puede ir de compras, ya que hay de todo tipo de establecimientos. No es un centro para hacer deporte; **8-c)** Esta semana los productos de maquillaje están más baratos (a *precios reducidos*: hasta un 70%); **9-b)** Si haces el curso, tienes un descuento del 20% en productos de maquillaje. Si quieres, puedes llevar tus propios productos de maquillaje o comprarlos allí; **10-a)** Por el contexto se deduce que es una tienda para mujeres: *ropa interior femenina, Nuestras diseñadoras, mujeres actuales y dinámicas, crean modelos exclusivos para ti*. **11-b)** El anuncio menciona un *menú infantil para niños menores de diez años* (especial para niños) que cuesta 6 €; **12-c)** En este supermercado hay productos de alimentación y para el hogar, y también hay *servicio a domicilio*, es decir, te llevan la compra a casa; **13-a)** La tienda de la calle Mayor está cerrada por obras, pero abre para *Navidad*, es decir, en diciembre. El horario no ha cambiado, sigue siendo el habitual.

Tarea 3

14-b) Luis dice que su *especialidad* es el *pastel de merluza con salsa de manzana* y que ellos prefieren los rollitos de salmón, o sea, es un restaurante famoso por sus platos de pescado; **15-a)** Antonio dice que el restaurante era antes de una pareja italiana, pero que se han jubilado y *ahora es de una pareja joven*, o sea, ha cambiado de dueños; **16-c)** Roberto dice que es vegetariano y que hace poco ha encontrado un restaurante perfecto para él; **17-b)** Luis dice que puede ir andando, o sea, está cerca de su casa; **18-a)** Antonio dice que ya iba a este restaurante cuando era pequeño, es decir, que va allí desde hace mucho tiempo; **19-c)** Roberto dice que *el problema son los precios* y que por eso solo va en ocasiones especiales, o sea, es un restaurante caro.

Tarea 4

20-b) A través de todo el texto se lee información sobre la historia de Zara *(Donde se abrió el primer Zara, En 1975; En los 80; En 1988 Zara)*; **21-c)** De Zara dice el texto que es la principal cadena del grupo, es decir, el negocio más importante; **22-a)** Un equipo de creación con más de 200 profesionales responde a las demandas del cliente; **23-a)** No hace ningún anuncio, ya que su política es no hacer publicidad, lo que la diferencia de otras marcas; **24-c)** El texto afirma que el 50% de sus productos se hacen en España y el 26% en otros países europeos. El resto se realiza en Asia, África y América. *En la actualidad se encuentra en más de setenta países*; **25-c)** Artículos para la casa (decoración).

Prueba 2. Comprensión auditiva
Tarea 1
1-a) La mujer va a tomar pollo la horno con patatas de segundo. Después, pregunta por la sopa y por la ensalada (el primer plato). Entones, el camarero le recomienda los canelones y ella dice: *Perfecto, entonces, canelones*; **2-c)** El hombre dice que van a pedir sushi y cenar en casa; **3-a)** La madre dice primero: *media docena de huevos*, pero luego cambia de opinión y dice *una docena*. También pide atún y, cuando el chico pregunta si una lata, la mujer dice que dos; por último, le pide también un *brick* de leche y un bote de mermelada; **4-b)** La mujer dice que prefiere comprar en tiendas tradicionales; **5-b)** Finalmente quedan el sábado porque, aunque al principio el hombre dice que va a ir de compras, luego dice que puede hacerlo otro día; **6-c)** La mujer se prueba las zapatillas y dice que se las lleva, o sea, que las compra.

Tarea 2
7-b) El anuncio dice que *esta semana, si compras una colonia más otros dos productos de la línea, te llevas un fantástico pañuelo de seda*; **8-a)** El anuncio invita a probar el bufé de ensaladas y dice que puedes comer todo lo que quieras más una bebida por 10 € (IVA incluido); **9-c)** *Piececitos es solo para los más pequeños de la casa*, es decir, para niños; **10-a)** En este supermercado te *regalan un libro de recetas por cualquier compra en nuestra nueva sección*; **11-a)** Total Look es una tienda de ropa y complementos que busca jóvenes *vendedores*, es decir, necesita dependientes; **12-b)** En este centro comercial hay monitores que *cuidan de los niños mientras tú haces tranquilamente tus compras*.

Tarea 3
13-c) La mujer dice que prefiere las tiendas pequeñas y el hombre dice que él también, o sea, ninguno de los dos prefiere el hipermercado; **14-a)** El hombre dice que hace la compra *para toda la semana*, es decir, hace una compra semanal; **15-c)** Ninguno de los dos ha tenido problemas de salud. Quien los ha tenido es algún pariente de la mujer; **16-b)** La mujer menciona dos chicos, Luis y Laura, o sea, tiene dos hijos; **17-a)** El hombre dice que su hija empieza el próximo año (pronto) Medicina, o sea, la carrera universitaria; **18-b)** La mujer afirma que ella y su marido son vegetarianos, es decir, que no comen carne ni pescado.

Tarea 4
19-a) El anuncio dice que cada camisa cuesta 12 € y, *si compra dos,* te regalan otra, con lo cual, pagas 24 € por tres camisas; **20-b)** El pedido no está completo porque aunque ya tienen el equipo de buceo que encargó, *faltan* (excepto) *los anteojos*; **21-h)** El mensaje dice: *Sentimos no poder atenderle en este momento*, es decir, ahora; **22-d)** Antonio no recuerda la calle de un restaurante y pregunta a su amigo, por tanto, pregunta por una dirección; **23-f)** El anuncio dice que el hipermercado *cierra en 15 minutos*, por tanto, hay que salir en un cuarto de hora; **24-j)** *Pase a retirarlo de la puerta* significa que tiene que quitarlo de la puerta, es decir, de allí; **25-i)** La persona que llama no ha podido hacer algo (devolver el pantalón) porque hay que ir personalmente, con lo cual, no ha podido hacerle el favor.

EXAMEN 3. LA SALUD, LA HIGIENE Y LA ALIMENTACIÓN
Prueba 1. Comprensión de lectura
Tarea 1
1-b) La persona que escribe dice que no puede ir a la comida del domingo y al final dice que siente *no poder verlas pasado mañana*, es decir, se disculpa por no poder ir a una cita; **2-b)** En el texto se menciona *ayer jueves* (por tanto escribe en viernes), pero también se habla de la comida del domingo y de *no poder verlas pasado mañana* (el domingo); **3-b)** Según el texto, el niño fue al colegio el lunes. El texto se escribe el viernes y el niño aún no ha ido al colegio y dice que podrán ir el lunes, con lo cual, no ha ido al colegio cuatro días (martes, miércoles, jueves y viernes); **4-a)** La madre de María es la abuela de los niños *(He tenido que pedir ayuda a mi madre)*; **5-b)** La jefa de María *está de viaje toda la semana* (no está), por eso ella no puede pedir días.

Tarea 2
6-c) Hay una *clase especial de higiene* (limpieza) bucal y *un dentista va a enseñar a los niños la importancia de la limpieza de los dientes y cómo deben cepillárselos*; **7-c)** Hay dos opciones de horario: *viernes tarde o sábados mañana*; **8-b)** En el anuncio se dice que en este número hay *50 páginas extra*, es decir, tiene más páginas; **9-b)** El anuncio dice que contiene *más de cien fotos a todo color*, por lo que no puede ser un programa de radio ni una clínica infantil; **10-b)** Escuchar a un especialista, ya que dice: *Cada jueves contaremos con la presencia de un especialista que nos hablará sobre aspectos relacionados con la salud*; **11-b)** Según el texto, el doctor Simón es *especialista en alimentación del Hospital Provincial*; **12-b)** El texto habla de la *libre elección de médico* y se aconseja informarse antes de cambiar de centro: *Antes de cambiar de centro, infórmate*; **13-b)** En el texto se menciona que hay no fumadores que mueren por el humo del tabaco, con lo cual, este problema afecta también a los no fumadores.

Tarea 3

14-b) Camila afirma que tiene el *colesterol alto desde la infancia*, o sea, desde que era pequeña; **15-a)** Cristina dice que no puede tomar *ningún alimento derivado de la leche* y el yogur y el queso lo son; **16-c)** Isabel dice que su problema empieza en marzo y a veces llega hasta mayo o junio, es decir, los meses de la primavera; **17-b)** Camila afirma que su hermano pequeño tiene el mismo problema, o sea, que no es la única de la familia; **18-c)** Isabel dice que está pensando buscar *otro lugar para vivir*, o sea, quiere cambiar de casa; **19-a)** Cristina afirma que tuvo que *cambiar su dieta completamente*, es decir, ha cambiado su forma de comer.

Tarea 4

20-b) Aunque se habla de la intolerancia o alergia a algunos alimentos, es un texto propio de una revista; **21-c)** Se dice que *el número de niños* con alergias *aumenta*, con lo cual, son frecuentes. Se mencionan, además, alergias a diferentes alimentos, con lo cual, no son iguales; **22-a)** Los porcentajes indican que hay más alergias en niños (80% de niños y 20% de adultos); **23-b)** Dice el texto que los bebés que no toman leche materna pueden desarrollar, con el paso del tiempo (es decir, en el futuro), algunas alergias; **24-b)** Dice el texto que con el paso de los años (cuando crecen) pueden llegar a desaparecer; **25-a)** Debemos pedir ayuda, ya que el texto indica que *ante una reacción alérgica importante* lo primero es *llamar a la ambulancia*.

Prueba 2. Comprensión auditiva

Tarea 1

1-c) La mujer afirma que, aunque pensaban *ir a urgencias*, al final fueron a la farmacia; **2-a)** La mujer puede tomar frutas, verdura y pollo; **3-b)** El hombre dice que primero tiene que ir a *pasear al perro*; **4-c)** El hombre dice que ya se ha duchado y afeitado por la mañana y que ahora va a vestirse; **5-c)** El hombre dice que va a tomar *una manzanilla*, es decir, un tipo de infusión; **6-c)** La farmacéutica recomienda una infusión y el hombre acepta.

Tarea 2

7-c) El anuncio dice que puedes *recibir* los *medicamentos sin salir de casa* y que tienen servicio de venta a domicilio, es decir, te llevan las medicinas a casa; **8-b)** Se habla de un centro para practicar *tai chi chuan*, un arte marcial (ejercicio); **9-a)** Dice que, por la compra de la revista el domingo, se recibe gratis (un regalo) una crema solar; **10-c)** El centro está a 15 km de la playa, es decir, cerca; **11-a)** Rafael Abasolo es el chef invitado y la cita es con Luis Rincón (es decir, él es el presentador del programa); **12-c)** Son especialistas en productos de higiene para toda la familia (niños y adultos).

Tarea 3

13-b) La mujer dice que el médico le dio *quince días de baja*, o sea que ha estado dos semanas sin ir a trabajar; **14-a)** El hombre dice que ha estado *muy estresado*, o sea, muy nervioso; **15-c)** Ninguno de los dos habla de haber cambiado de trabajo. El hombre menciona que han cambiado los jefes, pero no el trabajo; **16-a)** El hombre dice que tiene que *hacer dieta* y *bajar cinco kilos*, o sea, tiene que perder peso; **17-b)** La mujer dice que va *todos los sábados a la piscina*, o sea, practica natación; **18-c)** Ninguno de los dos dice que practica gimnasia. El hombre dice que quiere practicarla, pero no la practica.

Tarea 4

19-c) Dice que *en este momento* (ahora) todos los operadores están ocupados y que puede esperar, es decir, ahora no puede pedir cita; **20-a)** Le han cambiado de día porque el doctor no puede verle *esta tarde*, pero puede venir mañana; **21-h)** La persona no puede ir a jugar al tenis, pero Juan, otra persona, sí puede ir *(Me dijo que va él)*; **22-j)** El gel que necesita la mujer *lo servirán esta tarde*, es decir, se lo van a traer; **23-i)** El hijo de la mujer está enfermo y tuvo que llevarlo (a su hijo) *a urgencias*, es decir, al médico; **24-f)** A este gabinete de psicología se puede ir en persona *(Venga a visitarnos)* o se puede entrar en su web *(Visite nuestra página web)*; **25-d)** El mensaje es de un contestador, con lo cual, nadie puede ayudarlo.

EXAMEN 4. LOS ESTUDIOS Y LA CULTURA

Prueba 1. Comprensión de lectura

Tarea 1

1-a) Mónica menciona varias cosas relacionadas con estudiar (*la escuela, las clases, muchos ejercicios*) y dice que practica su inglés no solo en clase, con lo cual se deduce que ha ido a Londres a aprender inglés; **2-c)** Mónica dice: *El mes pasado…, Este mes…* y *El último mes*, así que son tres meses; **3-a)** La casa *no está muy cerca* (está lejos) *de la escuela* (el centro de estudios); **4-b)** Mónica dice que *Susan* es *de su edad* y *Sarah* es *un poco menor*, es decir, más pequeña; **5-c)** Según el texto, Mónica tiene que *hacer muchos ejercicios* y tienen que *hablar todo el tiempo*, así que practica mucho.

Tarea 2

6-b) El texto es una invitación a los alumnos mayores de 60 años a participar en un concurso de pintura. El tema es libre; **7-b)** No es un concurso, sino una *nueva edición* (el 9 de junio). Para participar hay que mandar un proyecto *(Mándanos tu proyecto)*; **8-c)** Esta obra solo es para *mayores de 16 años* (no es para niños) y solo se puede ver de lunes a jueves, no toda la semana; **9-c)** Es una librería *especializada* en *libros* de texto *de primaria y secundaria*; **10-b)** Tenemos que escribir a la dirección de correo electrónico si necesitamos *alguna aclaración más*, es decir, más información; **11-b)** En esta escuela la *enseñanza instrumental* es *a partir de 6 años* (los mayores de 6 años estudian un instrumento); **12-c)** Las becas *se convocan cada curso académico*, es decir, cada año (no solo este año) y se pueden recibir las dos, pero solo es posible beneficiarse de una de las dos; **13-c)** La excursión es voluntaria, pero los que asisten *deberán llevar sus propios bocadillos* (comida).

Tarea 3

14-b) Maite dice que tanto su padre como su madre son médicos, su abuelo era médico y su hermano mayor ha estudiado Medicina, o sea, que la medicina es una tradición en su familia; **15-a)** Paula afirma que en la universidad conoció a su marido, o sea, encontró pareja; **16-c)** Violeta dice que fue una *idea estúpida*, o sea, que no fue una buena decisión; **17-a)** Paula dice que *no lo tenía claro*, o sea, fue difícil decidir; **18-c)** Violeta dice que se va a matricular en Ingeniería Informática, es decir, piensa estudiar otra carrera; **19-b)** Maite dice que *la semana que viene* se examina de la última asignatura, o sea, todavía no tiene el título.

Tarea 4

20-b) La exposición está en el Museo del Prado (se puede ver), pero los cuadros vienen de Nueva York, París o Venecia, es decir, vienen de diferentes lugares; **21-b)** Esta *es la mayor y más importante exposición que se ha dedicado a Sorolla, y desde la exposición que se celebró en 1963, no se había hecho ninguna de estas características* (es decir, esta es la segunda); **22-b)** *Estos paneles salen por primera vez de la Hispanic Society* (han viajado desde NY por primera vez en su historia); **23-b)** El texto afirma que *las cuatro* salas *en que se presenta la exposición*; **24-b)** Son los cuadros de pintura social los que le dieron tanta fama; **25-a)** Se puede comprar *on-line* (más barato) que en las tiendas del museo, es decir, de las dos maneras.

Prueba 2. Comprensión auditiva

Tarea 1

1-a) La mujer se lleva un cuaderno grande de dibujo y dos gomas. La regla ya la tiene y los colores, va a preguntar a la profesora si son suficientes; **2-c)** La mujer dice que *mejor hablar primero con el tutor* para saber exactamente qué tienen que hacer; **3-c)** La chica dice que *mañana* va a *hacer el examen de física*; **4-b)** La mujer dice que no va a ir al concierto de Estopa porque va a ir al del folklore peruano, que es a la misma hora; **5-c)** El hombre dice que su hijo *antes* quería *estudiar violín*, pero *ahora* quiere *estudiar piano*; **6-b)** La empleada le recomienda ver la exposición de cerámica y el hombre dice que va a seguir su consejo.

Tarea 2

7-c) Esta librería lleva 25 años dando servicio a estudiantes de Arquitectura y, en su aniversario, hace un descuento a los que presentan el carné de estudiante de la facultad, es decir a los alumnos de Arquitectura; **8-b)** *En este divertido musical hay mucho buen humor*, es decir, es una obra cómica; **9-a)** El texto dice que *al terminar el curso, estarás preparado para presentarte al examen de la Escuela Oficial de Idiomas*, que es un examen oficial; **10-c)** Es una *nueva colección para los pequeños de la casa*, para los *jóvenes lectores*, es decir, es literatura infantil; **11-b)** Se habla de una *revista semanal* (una vez a la semana); **12-a)** En esta escuela hay alumnos desde que nacen hasta que tienen 6 años.

Tarea 3

13-c) Ninguno de los dos, porque los dos afirman que les gusta mucho ese estilo de pintura; **14-c)** Los dos dicen que han visto cuadros de Sorolla en otros museos y exposiciones, pero no esta exposición; **15-a)** La mujer dice que ha estado *este verano en Nueva York*, o sea, en EE. UU.; **16-a)** El hombre dice que para él la entrada *es gratis con el carné de profesor*; **17-b)** La mujer dice que quiere pasar por la tienda del museo para *comprar el catálogo*; **18-a)** El hombre dice que no puede quedarse mucho tiempo después de comer porque va a ir a ver una película, o sea, va a ir al cine.

Tarea 4

19-b) Están de vacaciones hasta el 7 de enero porque durante las fiestas de Navidad y Año Nuevo no hay clases; **20-h)** La persona que llama necesita el número de DNI, sin ese dato no pueden hacer el certificado de estudios; **21-d)** Aurora tiene que estudiar y no puede dar la clase durante la semana, pero sí puede el sábado o el domingo (fin de semana); **22-a)** Durante la obra de teatro no se puede tener conectado el móvil (*Les rogamos mantener apagados los móviles*); **23-f)** La persona dice que puede *ir con vosotros a Mallorca*, es decir, pueden viajar juntos; **24-g)** El horario de esta librería es *de 10:00 a 20:00 ininterrumpidamente*, es decir, no cierran a mediodía; **25-j)** La persona que llama le pide que compre los boletos porque ella no puede: *Para mí es imposible... porque tengo muchísimo trabajo*, así que le pide un favor.

EXAMEN 5. EL TRABAJO

Prueba 1. Comprensión de lectura

Tarea 1

1-b) Antonio prefería su trabajo anterior ya que va comparando y en este nuevo trabajo hay muchas cosas que no le gustan (*el horario, el jefe, los compañeros...*). Al final dice que no sabe si se va a acostumbrar; **2-c)** Antonio habla de muchas cosas negativas: *El horario es terrible, muchos fines de semana tenemos que venir a trabajar. El jefe casi nunca está*. Los viernes van a trabajar con traje; **3-a)** Antonio dice que trabaja más de lo que le dijeron: *muchas veces salimos a las 20:00 h*; **4-b)** El jefe de ahora *casi nunca está* (en la oficina); **5-b)** Antonio comenta cosas del trabajo anterior que Juan Luis conoce. Dice que se acuerda mucho de ellos y le da recuerdos para todos (los compañeros).

Tarea 2

6-b) Es más barato en mayo, ya que si hace *su inscripción del 1 al 31 de mayo*, obtiene *un descuento*; **7-a)** Es para (dirigido a) *trabajadores de la salud*, es decir, médicos/as y enfermeros/as; **8-a)** Es una publicación electrónica; **9-c)** En esta página se comparte la experiencia personal y se aprenden las *mejores técnicas de cómo conseguir clientes y lograr más ventas*, por lo que te enseñan a mejorar tu negocio; **10-a)** Dice que no pueden participar funcionarias (*personas que trabajan en la Administración pública*); **11-a)** El anuncio va dirigido a quienes necesitan empleados: *Si necesita trabajadores para su empresa*; **12-b)** Estos cursos ayudan a *mejorar las capacidades laborales o a facilitar la entrada en el mundo laboral*, con lo cual, pueden ayudar a encontrar trabajo; **13-c)** Esta persona tiene experiencia, es decir, ha trabajado antes y puede incorporarse *inmediatamente*, puede empezar a trabajar ya.

Tarea 3

14-a) Clara dice que, *aunque el bar cerraba a las doce de la noche, los clientes se iban a la una o una y media*, luego tenía que limpiar y por eso se acostaba muy tarde, es decir, no estaba contenta con el horario; **15-b)** Marta dice que *la señora* para quien trabajaba *cada vez pedía más cosas*. Y cuando intentó hablar con ella, *se enfadó mucho*. O sea, tuvo problemas con su jefa; **16-c)** Nadia dice que mandó *su currículum a muchas empresas*, pero no encontró nada y que *después de dos años buscando trabajo estaba frustrada*. O sea, que le fue difícil encontrar un trabajo; **17-a)** Clara dice que encontró *este trabajo en el último curso de la universidad*, es decir, que todavía estaba estudiando; **18-b)** Marta afirma que pensaba ir a EE. UU. y necesitaba dinero para sus gastos y que por eso buscó un trabajo, o sea, que pensaba usar el dinero para un viaje; **19-c)** Nadia dice que lleva *ya diez años en la escuela*, es decir, que todavía trabaja en la misma empresa.

Tarea 4

20-c) Se deduce de varias partes del texto, pero además, el texto dice que este programa *intenta ayudar a jóvenes entre 18 y 24 años, sin estudios ni trabajo, para entrar en el mercado laboral*; **21-c)** Según el texto, *el programa funciona desde hace doce años*; **22-a)** Los jóvenes no están preparados para los trabajos porque, aunque hay demanda de trabajadores jóvenes, *no tienen la formación necesaria*; **23-c)** El texto afirma que *es mejor mantenerlos* (a los jóvenes) *en el sector educativo*, es decir, deben estudiar más tiempo; **24-a)** El programa da prioridad a los que más lo necesitan (*los que tienen más necesidad de ingreso inmediato al mundo laboral*); **25-b)** Projoven primero encuentra las áreas con más oportunidades, empresas que solicitan jóvenes.

Prueba 2. Comprensión auditiva

Tarea 1

1-c) El hombre dice que *la impresora no funciona desde ayer*, o sea, el problema está en la impresora. **2-b)** El hombre dice que *hoy come en casa*; **3-a)** Del texto se deduce que el hombre ha ido en coche (la mujer le aconseja ir en el autobús de la empresa o en bicicleta, como hacía antes); **4-b)** Cuando la mujer le pregunta por la hora de entrada, él contesta que *a las 8, como siempre*; **5-a)** La mujer dice que *el director de marketing* es *el de barba y traje oscuro que tiene una tableta*; **6-c)** El hombre dice que ella *se presentó a una oferta de trabajo en una tienda de ropa y ahora está allí como dependienta*.

Tarea 2

7-b) El anuncio dice: ¿Quieres crear tu empresa y ser tu propio jefe?, pon en marcha tu negocio, es decir, anima a montar un negocio. **8-b)** Este libro es para personas que buscan trabajo: *Si buscas trabajo, este es tu libro*; **9-b)** El anuncio dice que se celebra la tercera feria *anual* (cada año); **10-b)** Esta agencia te da ideas sobre las *diferentes posibilidades* que existen *para trabajar en el extranjero*; **11-c)** El anuncio informa de que se organizan diversas actividades durante todo el mes y las actividades son en marzo (*con motivo del la celebración el 8 de marzo*); **12-a)** Las clases de informática son *para jubilados*, es decir, personas que ya no trabajan.

Tarea 3

13-b) La mujer dice que en el hotel *tenía que trabajar por la noche*, es decir, tenía un trabajo nocturno; **14-c)** Ninguno de los dos habla de sus compañeros de trabajo actuales. La mujer habla de los del trabajo anterior y dice que *eran simpáticos*; **15-a)** El hombre dice que le han ofrecido *un nuevo puesto* en el trabajo, pero necesita *mejorar su inglés*, es decir, va a necesitar el inglés en su trabajo; **16-a)** El hombre dice que tiene planes de *irse a Estados Unidos este verano a hacer un curso*, o sea, va a irse a estudiar en el extranjero; **17-c)** Ninguno de los dos dice que necesita gafas. La mujer menciona que su hija las va a necesitar; **18-b)** La mujer dice que tienen que celebrar el ascenso del hombre y propone ir a un pub *el sábado o el domingo*, o sea, propone salir el fin de semana.

Tarea 4

19-a) La persona dice que no puede ir (*no voy a poder ir a buscar a los niños*); **20-f)** La persona tiene que llamar más tarde (*llame pasados unos minutos*); **21-i)** La persona que llama ha conseguido trabajo (*Buscaban un infor-*

mático para una oficina... Me han llamado. Empiezo la semana que viene); **22-g)** El mensaje dice *El lunes le llamamos de nuevo*, es decir, le van a llamar otro día; **23-b)** ¿*Tú me puedes ayudar...?* es una forma para pedir ayuda; **24-d)** A esta persona la citan para ir a un lugar *(Tiene que presentarse mañana, a las 12:00)*; **25-h)** La persona que llama no sabe qué ropa ponerse y pide consejo a su amiga: ¿*Tú crees que debo...?*

EXAMEN 6. EL OCIO, LOS VIAJES Y LAS COMUNICACIONES

Prueba 1. Comprensión de lectura
Tarea 1
1-b) Se deduce de varias partes del texto, especialmente cuando dice que han ido a *celebrar las fiestas* (las Navidades) con ellos y que en el mes que están *no hace falta abrigo* (el abrigo es para el frío, propio del invierno); **2-a)** En el correo, Beatriz habla de su viaje a Tenerife; **3-b)** En el correo dice que han ido a hacerles *una visita* (a su hermano y a su cuñada) y *conocer la isla*, es decir, van a hacer turismo; **4-c)** Beatriz dice: *Todavía no hemos subido al Teide. Espero poder ir pronto*; **5-a)** *La naturaleza de toda la isla es muy variada: el norte es muy verde y el sur es más seco, pero el sur es bastante turístico*, es decir, el norte es menos turístico que el sur.

Tarea 2
6-b) Media pensión significa *habitación con desayuno y una comida*, eso es lo que incluye el precio por persona en este anuncio; **7-b)** La oferta es de 39,89 (10 GB) solo *durante tres meses*; **8-a)** La guía de cada país incluye tres secciones (*una primera sección, una segunda sección, una sección para intercambiar...*); **9-a)** Según el anuncio, el primer capítulo se va a ver el *próximo jueves*; **10-a)** Para participar tengo que hacer la inscripción y esta es *una hora antes de la prueba*, es decir, a las 9:00; **11-b)** Esta cadena está especializada en *ordenadores de segunda mano*, es decir, usados; **12-a)** *El impreso de solicitud* es *gratuito en esta web*, es decir, se puede bajar de Internet; **13-c)** Según el anuncio solo pueden viajar 45 personas porque las *plazas* son *limitadas (45)*.

Tarea 3
14-b) Carlos dice que *los sábados* prepara *comida para toda la semana*, o sea, que dedica parte del fin de semana a cocinar; **15-c)** Pedro dice que su *hermana* tiene *libre el sábado* y él, el domingo, o sea, que solo tiene un día libre; **16-a)** Cristina afirma que antes de tener niños su vida era muy diferente y ella y su marido también, es decir, que han cambiado mucho; **17-b)** Carlos no menciona ninguna actividad fuera de casa ni el sábado ni el domingo; **18-a)** Cristina dice que hacen *actividades con los niños* y que *los domingos* van *a casa de la abuela*, adonde también van sus hermanos con sus hijos, o sea, pasa tiempo con su familia; **19-c)** Pedro dice que está haciendo *Marketing en la Universidad a Distancia*, y que ahora está con exámenes, así que pasa la *mañana del domingo en casa o en la biblioteca*, es decir, dedica tiempo a estudiar.

Tarea 4
20-a) Se deduce del texto, pero además, hay una pregunta: ¿*Cómo podemos los padres reducir los riesgos...?*; **21-b)** Del contenido del texto se deduce que puede aparecen en una revista para padres y madres; **22-c)** Según el texto, *Internet no es como la televisión o el videojuego*, sino más interactivo, porque *los niños pueden participar activamente y comunicarse*; **23-a)** El texto dice que los niños *pueden acceder a contenidos y materiales gráficos no aptos para menores*, es decir, página para adultos; **24-c)** Sobre los padres, el texto menciona dos veces: *podemos hablar y debemos hablar con nuestros hijos*; **25-b)** Según el texto, hay programas que pueden bloquear el acceso a sitios para adultos o cortar el uso de Internet a la hora de hacer los deberes, es decir, están especialmente diseñados para ayudar a los padres.

Prueba 2. Comprensión auditiva
Tarea 1
1-b) La madre dice que la niña *prefiere ver animales* y el padre acepta, o sea, van a ir al zoológico; **2-c)** El hombre dice que va a *ir a la piscina cubierta a nadar*; **3-c)** La recepcionista le aconseja al señor que envíen un correo electrónico; **4-a)** La mujer dice que con el GPS el mapa de carreteras ya no es necesario; **5-c)** La mujer dice que le han hablado de *una plaza muy bonita* y el hombre le da instrucciones para llegar; **6-b)** El hombre dice que los va a llevar Juan, con lo cual entendemos que van en un coche privado.

Tarea 2
7-a) El anuncio dice que hay *profesionales expertos te aconsejarán* (te ayudan) *qué actividad deportiva* (qué deporte) *es mejor para ti*; **8-b)** La oferta de este anuncio es que *puedes comprar un bono de diez visitas por el precio de nueve*, con lo cual, la entrada es más barata; **9-b)** Este *seguro internacional para menores de 21 años cubre la asistencia si se viaja por otros países europeos* (es decir, excepto el mío) *o por el resto del mundo*; **10-c)** Este club de senderismo (pasear por la montaña) propone *disfrutar del tiempo libre haciendo ejercicio sano y salir todos los domingos a hacer excursiones a la montaña*; **11-a)** En este programa se va a hablar de un libro *(Amazonas, un viaje imposible)* escrito por Juan Madrid.; **12-a)** En el anuncio se propone una *safari fotográfico de ocho días* y esto solo lo puede hacer una agencia. Dice, además, *Haz tu reserva*.

Tarea 3

13-b) La mujer dice que estuvo *en Cancún hace tres años* y luego da consejos al hombre para el viaje, o sea, que ella ha estado ya en México; **14-a)** El hombre dice que no es muy aficionado a tomar el sol, es decir, no le gusta mucho la playa; **15-c)** Los dos afirman que les gusta la cerámica y la artesanía; **16-b)** Cuando el hombre pregunta a la mujer por sus planes para el verano, ella contesta que se queda trabajando, o sea, que no va a viajar; **17-c)** Ella dice que esquía y él dice que practica bicicleta y senderismo; **18-a)** El hombre dice que no quiere tarta porque acaba de comer, o sea, que no tiene hambre.

Tarea 4

19-f) Según el anuncio, cambian de horario, ya que *a partir del próximo 1 de julio hasta el 1 de septiembre tienen horario de verano*; **20-a)** La persona dice que va a *llegar más tarde* (a las 6 o 6:30) y no a las 5; **21-d)** Tienen que reservar el viaje en un plazo de veinticuatro horas y tienen que ir al día siguiente, es decir, urgentemente; **22-j)** La persona tiene un problema con el ordenador porque su *portátil no funciona bien*; **23-c)** Hay que renovar los carnés esta semana porque el plazo termina este sábado; **24-i)** Hay que llevar algo de comer (*para cenar*), además se habla de *hacer tú una tortilla* y trae *el pan*; **25-g)** Llama para pedir información (*para saber si te acuerdas del nombre... Tampoco recuerdo bien el nombre de la calle*).

TRANSCRIPCIONES

PRUEBA 2. PRUEBA Comprensión auditiva

EXAMEN 1. Las personas y la vivienda

TAREA 1 **PISTAS 1-7**

A continuación, escuchará seis conversaciones. Oirá cada conversación dos veces. Después, marque la opción correcta, a), b) o c), para cada pregunta, 1-6. Ahora, va a oír un ejemplo.

Pista 1. Conversación 0
Va a escuchar a una mujer hablando con su marido.
MUJER: Tengo una mala noticia: el frigorífico se ha estropeado.
HOMBRE: ¡No me digas! Hay que llamar al servicio técnico.
MUJER: Ya han venido y dicen que no es posible arreglarlo.
HOMBRE: ¡Qué mala suerte! El mes pasado la lavadora, ahora el frigorífico… Y necesitamos un lavavajillas, eso seguro…
MUJER: He visto una oferta de un frigorífico y un microondas muy bien de precio.
HOMBRE: Ya, pero no necesitamos microondas.
MUJER: Es verdad.

Pista 2. Conversación 1
Va a escuchar a un hombre hablando con una compañera de trabajo.
HOMBRE: Alicia, vosotros estáis buscando un piso, ¿verdad?
MUJER: Sí, queremos mudarnos el próximo mes sin falta. Ahora tenemos solo dos dormitorios y necesitamos otro. Los niños crecen y…
HOMBRE: Es que en mi edificio alquilan dos pisos.
MUJER: ¿Sí? ¿Cómo son?
HOMBRE: Uno tiene tres dormitorios y dos baños. El otro es un poco más grande porque tiene una terraza estupenda y tiene dos baños y dos dormitorios.
MUJER: Me interesa el primero.
HOMBRE: ¿Seguro? Es que la terraza es magnífica.
MUJER: Pero somos cuatro y otro dormitorio es fundamental.

Pista 3. Conversación 2
Va a escuchar a una mujer hablando con su hijo.
MUJER: Juan, ¿vas a lavar los platos?
HOMBRE: Hoy le toca a Sandra. Yo los lavé ayer.
MUJER: Ya, pero ella ha puesto la lavadora, me ha ayudado con la comida y ahora tiene que estudiar. Me ha dicho que tiene exámenes.
HOMBRE: Yo también tengo un examen mañana.
MUJER: Vale, entonces, voy a lavar los platos yo, pero mañana te toca a ti. Déjalo todo ahora y ponte con el examen inmediatamente.
HOMBRE: Vale, mamá, gracias.

Pista 4. Conversación 3
Va a escuchar a dos compañeros de trabajo hablando.
MUJER: ¿Y esas fotos? ¿Es tu familia? No los conozco.
HOMBRE: Sí. Mira. Son fotos este verano, cuando estuvimos de vacaciones.
MUJER: Déjame ver. No sabía que tenías cuatro hijos.
HOMBRE: No. En esta foto está una sobrina de mi mujer, la niña morena, que vino con nosotros. Los míos son estos, mira esta foto, esta es Marta y estos, los gemelos.
MUJER: ¡Qué guapos!

Pista 5. Conversación 4
Va a escuchar a un hombre hablando con una amiga.
HOMBRE: ¿Sabes? Estuvimos en la tienda que nos dijiste.

MUJER: ¿Comprasteis la mesa para el comedor?
HOMBRE: No, la verdad, aunque tienen muebles preciosos.
MUJER: Sí, y muy buenos precios, ¿verdad?
HOMBRE: Pues sí. Vimos una mesa que nos encantó, pero las sillas no eran muy cómodas. Van a traer más modelos la próxima semana.
MUJER: ¿No comprasteis nada?
HOMBRE: Pues vimos un sofá precioso, pero teníamos dudas sobre el color. Al final nos llevamos un mueble para la televisión muy sencillo y el lunes volvemos para ver las sillas.

Pista 6. Conversación 5
Va a escuchar a un hombre hablando con una compañera de trabajo.
HOMBRE: ¿Qué tal la nueva casa?
MUJER: ¡Encantados! Es preciosa.
HOMBRE: Y dijiste que tiene buenas vistas.
MUJER: Sí, es lo que más me gusta. Desde el salón y el dormitorio de los niños se ve la montaña.
HOMBRE: ¡Qué suerte!
MUJER: Y el nuestro da al jardín. Antes abría la ventana y veía el edificio de enfrente. Ahora veo árboles.
HOMBRE: ¿Y no prefieres el dormitorio que da a la montaña para vosotros?
MUJER: Es que es más grande y los niños necesitan más espacio.

Pista 7. Conversación 6
Va a escuchar a una mujer hablando con un amigo.
MUJER: Por cierto, ayer te vi desde el autobús. ¡Había tanto tráfico que estuvimos parados más de diez minutos! Estabas en la calle Cadalso con un grupo de personas.
HOMBRE: ¡Ah, sí! Quedé con unos amigos y estábamos decidiendo adónde ir.
MUJER: ¿Y quién era la chica con la que estabas hablando?
HOMBRE: ¿La morena con gafas?
MUJER: ¡No! Esa ya sé que es tu hermana Lola. La otra.
HOMBRE: ¿La del pelo corto?
MUJER: No, la que digo tenía el pelo largo y rizado.
HOMBRE: ¡Ah! Es Ana. Una amiga de mi hermana muy simpática.

TAREA 2   PISTAS 8-14

A continuación, escuchará seis anuncios de radio. Oirá los anuncios dos veces. Después, marque la opción correcta, a), b) o c), para cada pregunta, 7-12. Ahora, va a oír un ejemplo.

Pista 8. Anuncio 0
¿Has comprado una casa y tienes que amueblarla? ¿Te aburres de la decoración de tu hogar? ¡Estás de suerte! Ven a aprovechar la semana fantástica de almacenes Frigiliana Mobel. Ahora, si compras un sofá, te regalamos una preciosa lámpara. Por la compra de una mesa, te llevas seis sillas a mitad de precio. Y si lo que necesitas es un armario, págalo en cómodos plazos. Ven a Frigiliana Mobel. ¡Tus muebles a los mejores precios!

Pista 9. Anuncio 1
¿Te sientes solo? ¿Todavía no has encontrado a la persona para compartir tu vida? ¿Quizá eres demasiado tímido o el trabajo ocupa todo tu tiempo? ¿Crees que no vas a encontrar a tu alma gemela? No te preocupes, nunca es demasiado tarde. La agencia Almas Gemelas te ayuda a encontrar a la persona ideal como ya lo ha hecho con más de tres mil personas de todas las edades. Ven a conocernos: podemos hacer algo por ti.

Pista 10. Anuncio 2
¡Novios! El hotel Excelsior pone a vuestra disposición sus cinco magníficas salas para celebrar el día más importante de vuestra vida. En hotel Excelsior nos encargamos de todo: la música, la tarta, las flores... Vosotros solo tenéis que elegir el menú de entre los más de cincuenta platos de nuestra carta. Y como oferta especial, para bodas con más de cien invitados, *parking* gratuito para los cien primeros asistentes. ¡Venid a celebrar vuestra boda con nosotros!

Pista 11. Anuncio 3
¿Usted tiene hijos adolescentes? ¿Ve que su hijo ha cambiado, tiene problemas en los estudios, muestra una mala actitud hacia usted y sus profesores? La revista *Nuestros hijos* publica un número especial dedicado a los problemas de la adolescencia, con artículos de psicólogos expertos en el tema. No lo olvide: mañana jueves en su quiosco.

Pista 12. Anuncio 4
Para tener éxito en las relaciones sociales y de pareja hay que saber comunicarse. No es cuestión de inteligencia, sino de saber qué técnicas usar en cualquier momento y situación.

Con el libro de autoayuda *Aprende a comunicarte*, del doctor Rodrigo Amaro, puedes aprender el arte de hacer interesantes tus conversaciones, usar el lenguaje corporal y todos los secretos de una comunicación eficaz y seductora que causará admiración a todos los que te rodean.

Pista 13. Anuncio 5
El cumpleaños es un día muy especial para un niño. Si quieres celebrarlo de un modo original que tu hijo nunca olvidará, ven al zoológico. Allí tu hijo y sus amiguitos pasarán una tarde inolvidable. Y además tenemos divertidas tarjetas con fotos de animales para las invitaciones. Cumpleaños en el zoológico: educación y diversión.

Pista 14. Anuncio 6
¿Vais a ser padres por primera vez y no tenéis experiencia? ¿No sabéis cuáles son los cuidados que necesita un niño al nacer? En nuestra guía *Llega la cigüeña* puedes encontrar toda la información que necesitas: qué ropa es la más adecuada, qué medicinas no deben faltar en tu casa, cómo debe ser su cuarto… *Llega la cigüeña*, más de cien prácticos consejos para los futuros papás.

TAREA 3   PISTA 15

A continuación, escuchará una conversación entre dos amigos, Ángel e Isabel. Indique si los enunciados, 13-18, se refieren a Ángel a), Isabel b) o a ninguno de los dos c).

HOMBRE: ¿Isabel? ¿Eres tú?
MUJER: ¡Ángel! ¡Qué sorpresa! ¡Cuánto tiempo! ¿Qué te cuentas?
HOMBRE: ¡Uf! Tantas cosas. No sé por dónde empezar. Como sabes, me casé con Marta, pero la cosa no funcionó y nos separamos después de un año.
MUJER: ¡Vaya!
HOMBRE: Éramos demasiado jóvenes, menos mal que no tuvimos niños, fue más fácil así. ¿Y tú? ¿Sigues con Alfonso?
MUJER: ¡No! Lo dejamos poco tiempo después de terminar la universidad. Cuando empecé a trabajar conocí al que ahora es mi marido y tenemos dos niños preciosos.
HOMBRE: ¡Qué bien! ¿Y en qué trabajas?
MUJER: Estuve un par de años en una compañía de exportación, pero ahora mismo no trabajo, los niños son demasiado pequeños. Aunque ya quiero volver. Estoy pensando ir a la universidad y hacer un máster para tener más oportunidades. ¿Y tú?
HOMBRE: Hasta hace poco trabajaba en un banco, pero me ofrecieron una oportunidad muy buena en una multinacional. El trabajo es interesante y viajo mucho. La semana pasada estuve en París.
MUJER: ¡Qué suerte!
HOMBRE: ¿Y qué haces por aquí? ¿Vives cerca?
MUJER: No. Es que he quedado con mi marido para ir a una agencia inmobiliaria. El piso que tenemos está un poco lejos y no hay metro. Queremos algo mejor comunicado.
HOMBRE: Pues donde yo vivo alquilan varios pisos. Es un barrio muy bien comunicado. Hay metro y varias líneas de autobús.
MUJER: Pero nosotros preferimos no alquilar. Hemos vivido de alquiler muchos años y hemos tenido malas experiencias.
HOMBRE: Pues hay un vecino que creo que quiere vender, pero no estoy seguro. Voy a preguntar. ¡Uf! ¡Qué tarde es! Me voy corriendo, que he quedado para comer con una amiga.

TAREA 4   PISTAS 16-23

A continuación, escuchará siete mensajes. Oirá cada mensaje dos veces. Después, seleccione el enunciado, a)-j), que corresponde a cada mensaje, 19-25. Hay diez enunciados. Tiene que seleccionar siete. Ahora, va a oír un ejemplo.

Pista 16. Mensaje 0
Hola, Ana. He estado mirando la página de muebles que me has mandado. Hay cosas muy bonitas, me encantan los comedores y los sofás, pero no estoy seguro. No tenemos prisa y podemos ver más cosas antes de decidirnos. Hablamos mañana.

Pista 17. Mensaje 1
Este es un mensaje para el señor Juan Ruiz. Llamo de la agencia inmobiliaria Nido. Hemos hablado con el propietario del piso que le interesaba, pero ya lo ha vendido. De cualquier forma, puede pasar usted por nuestra oficina y ver otros pisos que le pueden interesar.

Pista 18. Mensaje 2
Hola, Marisol. No sé si sabes que mañana es el cumpleaños de Luis y nos ha invitado a todos. Tenía que decírtelo ayer, pero lo olvidé. Yo termino el trabajo a las siete. Voy a pasar por casa para arreglarme y luego iré en coche a la fiesta. ¿Quieres venir conmigo? Llámame.

Pista 19. Mensaje 3
Hola. Llamo por el anuncio en el periódico de ayer en el que buscan un compañero de piso. Soy estudiante de primer año de Económicas. Tengo diecinueve años. No soy fumador. Soy bastante tranquilo y ordenado… Bueno, si estás interesado, puedes llamarme al 664567986. Muchas gracias y espero tu llamada.

Pista 20. Mensaje 4
Hola, Gabriela, soy Pepa. Ya sabés que Mariluz y Alonso se casan el próximo mes y a mí también me invitaron a la boda. La verdad es que no tengo ni idea de qué comprarles. ¿Qué pensaste vos? Llamáme cuando podás y hablamos. Hasta luego.

Pista 21. Mensaje 5
Este es un mensaje de almacenes Electrohogar para los señores Andrade. Lo sentimos mucho, pero no podemos llevarles la cocina que compraron porque en el impreso que rellenaron no está claro el nombre de la calle. Pueden llamarnos ustedes mañana de nueve a una y media o de cinco a ocho. Pregunten por el señor Garrido.

Pista 22. Mensaje 6
Hola, Luisa. Oye, ya he preparado la comida y he metido los platos en el lavavajillas, pero no he podido ir a recoger la tarta y creo que no voy a tener tiempo porque hay que organizar la decoración. ¿Puedes ir tú? Tiene que ser antes de las 5 porque el cumpleaños es a las 6. ¡Ah! Acuérdate de las bebidas. Gracias. Hasta luego.

Pista 23. Mensaje 7
Buenos días, señor Jiménez. Llamo del gabinete psicológico Psique. Le informamos de que el doctor Laredo no va a estar el próximo miércoles en su consulta porque tiene que asistir a un congreso. Llámenos para decirnos qué otro día le conviene. Le recordamos que solo puede ser los martes y los jueves en horario de tarde. Gracias y disculpe las molestias.

EXAMEN 2. Comprar, ir de compras, comer fuera

TAREA 1 PISTAS 1-7

A continuación, escuchará seis conversaciones. Oirá cada conversación dos veces. Después, marque la opción correcta, a), b) o c), para cada pregunta, 1-6. Ahora, va a oír un ejemplo.

Pista 1. Conversación 0
Va a escuchar a una mujer que habla con el dependiente de una tienda de ropa.
HOMBRE: Buenos días, ¿qué desea?
MUJER: ¡Hola! Buenos días. Estaba buscando un pijama de invierno.
HOMBRE: ¿Para usted?
MUJER: ¡No, no! Para un chico de quince años.
HOMBRE: ¿De qué talla?
MUJER: Pues… mediana… o mejor grande, sí, la L. Es bastante alto. ¡Ah, sí! Lo quiero de algodón.
HOMBRE: Mire, tenemos estos modelos. De este, solo tengo en azul y en verde. De este otro, hay más colores.
MUJER: Pues… este, este me gusta. Me lo llevo.
HOMBRE: Muy bien. Son dieciocho euros. ¿En efectivo?
MUJER: No, con tarjeta.
HOMBRE: Pase por aquí.

Pista 2. Conversación 1
Va a escuchar a una mujer hablando con un camarero.
HOMBRE: ¿Ya sabe lo que va a tomar?
MUJER: Sí. Tomaré el menú del día. De segundo, pollo al horno con patatas y de primero… ¿De qué es la sopa del día?
HOMBRE: De pescado.
MUJER: ¡Ah, no! Y la ensalada de la casa, ¿qué lleva?
HOMBRE: Lechuga, maíz, tomate y aceitunas… Pero yo le recomiendo los canelones. Están buenísimos.
MUJER: ¿Son de carne?
HOMBRE: Sí.
MUJER: Perfecto, entonces, canelones.
HOMBRE: ¿Y de beber?
MUJER: Agua con gas, por favor.

Pista 3. Conversación 2
Va a escuchar a una pareja hablando en su casa.
MUJER: ¿Cenamos fuera el lunes? Es tu cumpleaños.
HOMBRE: Sí. Buena idea. ¿Dónde quieres ir?
MUJER: ¡Es tu cumpleaños! Tú eliges…
HOMBRE: Pues… me gustaría ir a Diverso, el restaurante del famoso cocinero Daviz Muñoz.
MUJER: Ufff. Es que hay que reservar con muuuucho tiempo. Oye, ¿qué tal la terraza que hay en el Círculo de Bellas Artes? Las vistas son magníficas.
HOMBRE: Ya… pero es que el lunes va a llover. ¿Y el restaurante gallego que nos recomendó Juan?
MUJER: Creo que cierra los lunes.
HOMBRE: Pues... ¿sabes? Pedimos sushi y cenamos en casa.
MUJER: ¡Perfecto!

Pista 4. Conversación 3
Va a escuchar a una mujer hablando con su hijo.
MUJER: Luis, ¿puedes pasar por el supermercado al volver de clase?
HOMBRE: ¡Claro! ¿Qué compro?
MUJER: Pues… media docena de huevos. O mejor una docena. Y atún en aceite de oliva.
HOMBRE: ¿Una lata?
MUJER: Dos, mejor dos. También un *brick* de leche y un bote de mermelada de fresa.
HOMBRE. ¿Traigo pan?
MUJER: No. Prefiero comprarlo yo en la panadería.
HOMBRE: Vale. Me voy ya. Hasta luego.

Pista 5. Conversación 4
Va a escuchar a una mujer hablando con un compañero de trabajo.
MUJER: Me voy que tengo que comprar algo de fruta y verdura.
HOMBRE: Muy bien. Ya sabes que aquí al lado está el supermercado.
MUJER: Sí, ya, pero prefiero comprar en tiendas tradicionales, no me gusta comprar la fruta y la verdura en el súper, no sé, me parece que no están frescas…
HOMBRE: Pues por aquí cerca no conozco ninguna tienda, la verdad. Yo hago todas las compras por Internet.
MUJER: ¿Sí? ¿Incluso la comida?
HOMBRE: Sí, todo. Es muy práctico. No sabes el tiempo que ahorras.
MUJER: Ya. Yo compro mucho por Internet, sobre todo ropa, pero hay cosas que tengo que verlas para comprarlas…

Pista 6. Conversación 5
Va a escuchar a una mujer hablando con su hermano.
MUJER: ¿Quedamos el sábado para comer?
HOMBRE: Perfecto, ¿adónde vamos?
MUJER: Pues el otro día fui a un restaurante peruano fantástico.
HOMBRE: ¡Uy! Espera un momento, el sábado he quedado para ir de compras con Carmen. ¿Lo dejamos para el domingo?
MUJER: Ya sabes que los domingos siempre como en casa de mamá.
HOMBRE: Verdad. Bueno, no pasa nada. Carmen y yo podemos ir de compras el viernes.
MUJER: ¡Genial! De todas maneras, te llamo el viernes y confirmamos, por si acaso.
HOMBRE: De acuerdo.

Pista 7. Conversación 6
Va a escuchar a una mujer hablando con un dependiente de una zapatería.
HOMBRE: Buenos días, ¿qué desea?
MUJER: Estoy buscando calzado cómodo, para andar.
HOMBRE: Pues tenemos estos modelos de zapatillas deportivas.
MUJER: Eh… Es que no me gustan las deportivas. Busco unos zapatos sin tacón, pero un poco más elegantes que unas deportivas… En el escaparate he visto unos, al lado de unas botas negras.
HOMBRE: Ah, sí, ya sé. Sí, ese modelo es muy cómodo. ¿Qué número tiene?
MUJER: El 38.
HOMBRE: Pues, lo siento, pero solo nos queda el 37. ¿Por qué no se prueba estas deportivas? No son las típicas deportivas.
MUJER: Bueno, a ver… Vaya, es verdad, parecen comodísimas y me quedan muy bien. Me las llevo.

TAREA 2 **PISTAS 8-14**

A continuación, escuchará seis anuncios de radio. Oirá los anuncios dos veces. Después, marque la opción correcta, a), b) o c), para cada pregunta, 7-12. Ahora, va a oír un ejemplo.

Pista 8. Anuncio 0
Charmaine, especialistas en medias y ropa interior, lanza su nueva línea de ropa para dormir. Para sentirte bien por dentro y por fuera. Ven a conocernos y aprovecha esta sensacional oferta: a nuestros 100 primeros clientes les regalamos un par de calcetines y durante esta primera semana hacemos un descuento del 25% en cualquier compra. Te esperamos.

Pista 9. Anuncio 1
Prueba Estigma, la nueva línea femenina de Lilac. Colonia, leche corporal, champú, gel y desodorante se presentan por separado o en un bonito estuche de regalo. Estigma se vende en perfumerías y grandes almacenes. Y como oferta de lanzamiento esta semana, si compras una colonia más otros dos productos de la línea, te llevas un fantástico pañuelo de seda diseñado exclusivamente para Lilac.

Pista 10. Anuncio 2
Restaurante Las mil ensaladas. Prueba nuestro delicioso bufé de ensaladas con más de cincuenta ingredientes para combinarlos a tu gusto. En nuestro bufé vas a encontrar desde los elementos más tradicionales a los más exóticos y podrás aderezarlos con una variedad de apetitosas salsas. Todo lo que quieras más una bebida por tan solo 10 € (IVA incluido). ¡Ven a conocernos!

Pista 11. Anuncio 3
Zapaterías Todopiel. La moda a sus pies desde 1980. Somos especialistas en calzado de calidad. En nuestras tiendas puede encontrar la mayor variedad de zapatos, botas y calzado deportivo, para señora, caballero y jóvenes. Y ahora también y solo para los más pequeños de la casa, Piececitos, nuestra nueva tienda en Gran Avenida, 52, le ofrece zapatos de la mejor calidad. Venga a visitarnos.

Pista 12. Anuncio 4
Supermercados Florián. En supermercados Florián el único objetivo es servir a nuestros clientes y para ello abrimos una nueva sección, Sabores del Mundo, que ofrece productos de más de 20 países con los que usted puede elaborar los platos más atractivos. Como oferta de inauguración, por cualquier compra en nuestra nueva sección, le regalamos un original libro de recetas internacionales.

Pista 13. Anuncio 5
Total Look. La mayor cadena de ropa y complementos para jóvenes líder en su sector busca jóvenes vendedores para su nueva tienda de la calle Muriel, 25. Si tienes entre 20 y 30 años, eres dinámico y tienes experiencia en ventas, ven a vernos cualquier mañana de 10 a 13. Te esperamos.

Pista 14. Anuncio 6
Centro comercial Aljarafe. Todas tus tiendas favoritas, el hipermercado más grande de la región, más de 20 restaurantes para todos los gustos y economías y 6 salas de cine donde puedes disfrutar de las últimas películas. Todo reunido en un solo espacio. Y mientras tú haces tranquilamente tus compras, tus hijos pueden pasar un buen rato jugando junto a monitores que cuidan de ellos.

TAREA 3 **PISTA 15**

A continuación, escuchará una conversación entre dos amigos, Ángel y Margarita. Indique si los enunciados, 13-18, se refieren a Ángel a), Margarita b) o a ninguno de los dos c).

HOMBRE: Hola, Margarita, ¡qué casualidad! No sabía que hacías la compra aquí.
MUJER: No. Normalmente me gusta comprar en las tiendas pequeñas al lado de casa. Pero a esta hora están cerradas y tengo invitados para cenar.
HOMBRE: A mí también me gustan más, pero yo suelo hacer la compra para toda la semana en el hipermercado, así compro todo en un solo lugar: el pan, la leche, la fruta, la carne, el pescado… Para mí es mucho más práctico. Bueno, ¿qué tal todo? ¿Cómo está tu familia?
MUJER: Pues Ernesto ha tenido un problema de estómago y ha estado ingresado en el hospital.
HOMBRE: ¡Vaya! No tenía ni idea. ¿Y qué tal?
MUJER: Ya está muy bien. Pronto vuelve al trabajo. Y los chicos, de exámenes. Luis los termina mañana y Laura, la semana que viene. ¡Están deseando empezar las vacaciones!
HOMBRE: La mía ya ha terminado el bachillerato. El año que viene empieza Medicina. Pues en cuanto Ernesto se ponga bien, tenemos que salir todos.
MUJER: Buena idea. Podemos ir a algún espectáculo. Hay muchos musicales en cartelera.
HOMBRE: Estupendo y luego vamos a cenar y a tomar algo.

MUJER: Ningún problema, pero ya sabes que somos vegetarianos.
HOMBRE: No pasa nada. Han abierto un restaurante cerca de la plaza de las Comendadoras que incluye en su carta platos para vegetarianos y para personas con intolerancia al gluten y a la lactosa. Dicen que está muy bien y tiene una terraza. Además, preparan un salmorejo cordobés exquisito.
MUJER: Pues estupendo. Nos llamamos entonces.
HOMBRE: Muy bien. Recuerdos a tu marido.

TAREA 4   PISTAS 16-23

A continuación, escuchará siete mensajes. Oirá cada mensaje dos veces. Después, seleccione el enunciado, a)-j), que corresponde a cada mensaje, 19-25. Hay diez enunciados. Tiene que seleccionar siete. Ahora, va a oír un ejemplo.

Pista 16. Mensaje 0
Marisa, soy Amparo. Lo siento mucho, pero no voy a poder ir con vosotras esta tarde a comprar el regalo para Lucía. Es que mi jefe se va mañana a un congreso y quiere que le ayude a terminar unas cosas. Un beso y hablamos.

Pista 17. Mensaje 1
Estimados clientes, almacenes Contreras les ofrece hoy grandes ofertas en la sección de caballero: camisas lisas de algodón 100% por 12 € y, si compra dos, le regalamos otra. Estamos en la planta sexta.

Pista 18. Mensaje 2
Buenos días. Llamo de Deportes Olimpia. Ya tenemos el equipo de buceo que encargó, excepto los anteojos que llegan a principios de la próxima semana. Si quiere, puede pasarse por aquí mañana o bien esperar a la semana que viene, así se puede llevar todo. Un saludo.

Pista 19. Mensaje 3
Le atiende el contestador automático del supermercado Ahorraplús. Sentimos no poder atenderle en este momento. Nuestro horario de atención es de 8:30 de la mañana a 9:00 de la noche de lunes a sábado. Disculpen las molestias.

Pista 20. Mensaje 4
Antonio, soy Juan Luis. Te llamaba para preguntarte dónde está exactamente el restaurante asiático que me recomendaste. No recuerdo si está en la calle Cervantes o en la calle Quevedo. Es que es el cumpleaños de Loli y he pensado llevarla allí. Espero tu llamada.

Pista 21. Mensaje 5
Atención, señores clientes, les comunicamos que el hipermercado cierra sus puertas dentro de 15 minutos. Por favor, pasen por la línea de cajas para abonar sus compras. Mañana sábado abrimos a las 10 de la mañana. Gracias por su confianza.

Pista 22. Mensaje 6
Atención, atención, por favor, el propietario del Seat León de color gris y con matrícula 0202 DGH (cero, dos, cero, dos, de, ge, hache) pase a retirarlo de la puerta del hipermercado.

Pista 23. Mensaje 7
Hola, Julián. No he podido devolver el pantalón. Como pagaste con tarjeta, tienes que ir tú personalmente. Llámame para ver si pasas tú por casa para recogerlo o te lo llevo a la tuya. Hasta luego.

EXAMEN 3. La salud, la higiene y la alimentación

TAREA 1   PISTAS 1-7

A continuación, escuchará seis conversaciones. Oirá cada conversación dos veces. Después, marque la opción correcta, a), b) o c), para cada pregunta, 1-6. Ahora, va a oír un ejemplo.

Pista 1. Conversación 0
Va a escuchar a un chico hablando con su madre.
HOMBRE: Mamá, hay que comprar champú.
MUJER: Hay un bote en el cuarto de baño.
HOMBRE: No, eso es gel, el champú se terminó ayer.
MUJER: ¡Vaya! ¿Por qué no bajas al súper y traes uno?
HOMBRE: Vale, ¿alguna cosa más?
MUJER: Pues sí. A ver…, pasta de dientes compré yo ayer, pero el desodorante se está terminando, compra uno.
HOMBRE: Y voy a comprar un cepillo de dientes para mí.
MUJER: Compra dos mejor.

Pista 2. Conversación 1
Va a escuchar a un hombre hablando con una compañera de trabajo.

HOMBRE: ¡Marisa!, no te vi ayer. ¿Qué tal el dentista?
MUJER: Al final no pude ir. Cuando me levanté, me sentía fatal. Un dolor de cabeza insoportable. No sabía qué hacer.
HOMBRE: ¿No llamaste al 112?
MUJER: No, mi marido prefería llevarme de urgencias al hospital, pero decidimos pasar primero por la farmacia de guardia que está al lado de casa. Me dieron un analgésico bastante fuerte. Después de una hora ya me sentí mejor.
HOMBRE: Ya, pero deberías ir al médico.
MUJER: Sí, sí, tengo cita mañana.

Pista 3. Conversación 2
Va a escuchar a una mujer hablando con su marido.

HOMBRE: ¿Qué tal los resultados? ¿Qué te ha dicho el médico?
MUJER: Pues que soy alérgica al gluten.
HOMBRE: ¡No me digas! ¿Eres celíaca?
MUJER: Sí, y además dice que quizá soy alérgica a la leche y a los huevos, pero tiene que hacerme más pruebas para confirmarlo.
HOMBRE: Entonces, ¿qué puedes comer?
MUJER: Muchas cosas. No tengo problema con las verduras y la fruta…
HOMBRE: Pollo y pescado también, supongo.
MUJER: Bueno, el doctor me ha dicho que, de momento, no tome pescado…
HOMBRE: ¿No? Pues vaya…

Pista 4. Conversación 3
Va a escuchar a dos compañeros de trabajo hablando.

MUJER: ¡Las cinco, por fin! Hoy estoy cansadísima. Hoy tengo clase de pilates en el gimnasio, pero creo que no voy a ir.
HOMBRE: Sí. Yo también estoy agotado y tengo sueño. Estoy deseando volver a casa, sentarme en el sofá y ver uno de esos documentales culturales que siempre ponen en la 2. Pero primero, tengo que salir a pasear al perro y luego llevar el coche a la revisión anual.
MUJER: ¡Anda! Yo también tengo que pasar la revisión al coche. Lo había olvidado.
HOMBRE: Bueno, puedes ir el sábado, tienes una ITV cerca de casa.

Pista 5. Conversación 4
Va a escuchar a una señora hablando con su marido.

MUJER: ¡Qué tarde es! Estoy muy nerviosa.
HOMBRE: Tenemos que darnos prisa. Hay que salir para el aeropuerto en treinta minutos si queremos llegar bien. A estas horas siempre hay mucho tráfico.
MUJER: Voy a ducharme rápidamente. ¿Tú también te tienes que duchar?
HOMBRE: No. Me he duchado y me he afeitado esta mañana al levantarme.
MUJER: Pues, entonces, puedes cerrar ya las maletas.
HOMBRE: Vale. Me visto en un minuto y las llevo al coche.

Pista 6. Conversación 5
Va a escuchar a dos amigos hablando.

HOMBRE: ¡Puf! ¡No me encuentro bien! Creo que me ha sentado mal el café. Me duele mucho el estómago y estoy nervioso.
MUJER: Quizá no deberías tomar café. ¿Por qué no pruebas a desayunar té o alguna infusión?
HOMBRE: Es que no me gustan mucho y necesito un café para empezar el día.
MUJER: ¿Y un zumo de naranja?
HOMBRE: Sí, bueno, no sé. No me sienta muy bien. Creo que voy a seguir tu consejo y mañana voy a tomar una manzanilla en lugar de tomar tres cafés, como siempre.
MUJER: ¡Tres cafés! Así claro que te duele el estómago.

Pista 7. Conversación 6
Va a escuchar a un hombre hablando con una farmacéutica.

MUJER: Buenos días, ¿en qué puedo ayudarlo?

HOMBRE: Mire, necesito algo para el estómago. Me duele mucho después de comer.
MUJER: Pues tenemos estas pastillas, que son muy buenas para los gases.
HOMBRE: Ya, pero no me gusta tomar pastillas. He oído hablar de un jarabe que va muy bien. Digestil, creo que se llama.
MUJER: Pero ¿qué le pasa exactamente? Porque Digestil es para hacer bien la digestión.
HOMBRE: Sí, no sé, pero creo que tengo digestiones muy pesadas.
MUJER: Mire, mejor, pruebe primero con esta infusión a base de hierbas naturales. Va muy bien.
HOMBRE: Estupendo. Muchas gracias.

TAREA 2   PISTAS 8-14

A continuación, escuchará seis anuncios de radio. Oirá los anuncios dos veces. Después, marque la opción correcta, a), b) o c), para cada pregunta, 7-12. Ahora, va a oír un ejemplo.

Pista 8. Anuncio 0
Infusiones Natusán. La manera más natural de mejorar tu salud. Si tienes dolor de cabeza, prueba Migracur. Si no puedes dormir, Infusueño es la solución. Para la tos, Infuexpect es lo que necesitas. Infórmate www.natusan.com o pregunta a tu farmacéutico.

Pista 9. Anuncio 1
¿Alguna vez pensó que sin salir de su casa y por el mismo precio puede usted recibir medicamentos, productos para su bebé, artículos de perfumería e higiene, salud y belleza directamente de la farmacia? Ahora esta comodidad es posible gracias al servicio de venta a domicilio de farmacias Cruz Blanca. Llame ahora. Atención: si su medicamento necesita receta, debe usted presentarla al recibirlo.

Pista 10. Anuncio 2
¿Cansado del trabajo y del estrés? ¿La solución? El *taichí chuan*. Este arte marcial chino permite la unión de la conciencia y el movimiento corporal, y es cada vez más popular porque no se necesita tener una buena condición física para practicarlo. Venga a nuestro centro e infórmese. Estamos en la calle Orensana, 25, en horario de mañana y tarde. También puede visitarnos en www.orensatai.es.

Pista 11. Anuncio 3
Amigos lectores, ya está a la venta el número especial de verano de la revista *Familia y salud*, que nos habla de los secretos para tomar el sol con total seguridad para la piel. Este número especial, además, explica las ventajas e inconvenientes del consumo de agua y nos ofrece 100 recetas contra el calor. Si compras *Familia y salud* este domingo, recibirás gratis una crema solar para disfrutar del verano sin peligro.

Pista 12. Anuncio 4
El centro de medicina natural Mandrágora lleva más de 30 años cuidando y mimando la salud de sus pacientes. Su extraordinario equipo médico compuesto por 7 especialistas y 20 enfermeras tiene como objetivo proporcionarte todo lo que necesitas en un ambiente único: a 15 kilómetros de la playa y rodeado de montañas para disfrutar de la más absoluta tranquilidad. No lo dudes y ven a Mandrágora.

Pista 13. Anuncio 5
Hola, amigos oyentes, esta tarde tenemos una cita con Luis Rincón en *Cocinar es fácil*, el programa de cocina más popular de la radio. Un espacio que te da mil ideas para comer sano y bien. Hoy nuestro invitado, Rafael Abasolo, chef del conocido restaurante vasco Chapela, nos contará los secretos de su cocina. No lo olvidéis, *Cocinar es fácil*, como siempre a las seis y media de la tarde.

Pista 14. Anuncio 6
En Frescor somos especialistas en productos de higiene para toda la familia: champú, gel, crema, colonia, desodorante, pasta de dientes… y ahora, para tus hijos, queremos presentarte Fresquito una nueva línea con la calidad de tu marca favorita, pero con un alegre y bonito diseño. Y como oferta de lanzamiento, regalamos un divertido cepillo de dientes por cada compra superior a 20 €.

TAREA 3   PISTA 15

A continuación, escuchará una conversación entre dos amigos, Eduardo y Gema. Indique si los enunciados, 13-18, se refieren a Eduardo a), Gema b) o a ninguno de los dos c).

HOMBRE: ¡Hola, Gema! ¿Dónde vas tan deprisa?
MUJER: Al hospital, a ver a Maribel.
HOMBRE: ¿A Maribel? ¿Qué le ha pasado?
MUJER: Nada, nada. Que ha tenido un bebé. El tercero, así que ya son familia numerosa.

HOMBRE: ¿Ya tiene tres? ¡No sabía nada! ¡Hace mucho que no la veo…! ¿Y tú? ¿Qué tal?
MUJER: Pues ahora mejor, pero he pasado una época fatal. Tuve un ataque de asma. Casi no podía respirar. así que el médico me dio quince días de baja y me recomendó salir de la ciudad. Pasé medio abril en la casa de la playa y ahora estoy bastante mejor.
HOMBRE: Pues yo he estado muy estresado en el trabajo. Hemos cambiado de jefes y tenemos reuniones con UGT y CC.OO., que son los sindicatos que hay en nuestra empresa.
MUJER: ¡Qué lío! Adaptarse a una nueva dirección siempre es complicado.
HOMBRE: Sí. Y, por otro lado, también he tenido problemas de salud. Hace tiempo que tengo molestias en la pierna derecha. El especialista me ha dicho que es la circulación y que tengo que hacer dieta y bajar, al menos, cinco kilos.
MUJER: ¿Y no te ha recomendado hacer ejercicio? Nadar va muy bien para la circulación. Yo voy todos los sábados a la piscina municipal.
HOMBRE: Prefiero hacer gimnasia o alguna terapia alternativa. Tengo que buscar un lugar cerca de casa o del trabajo.
MUJER: ¿Por qué no vas a yoga? Viene muy bien para el estrés y es una manera relajada de hacer ejercicio. Bueno, me voy que llego tarde. Hasta pronto y que te mejores.
HOMBRE: Adiós y da recuerdos a Maribel.

TAREA 4   PISTAS 16-23

A continuación, escuchará siete mensajes. Oirá cada mensaje dos veces. Después, seleccione el enunciado, a)-j), que corresponde a cada mensaje, 19-25. Hay diez enunciados. Tiene que seleccionar siete. Ahora, va a oír un ejemplo.

Pista 16. Mensaje 0
Alberto, soy Ignacio. Oye, cuando quedamos, olvidé que el martes es fiesta, es el día de la Constitución. Así que, si no te importa, mejor quedamos el miércoles o el jueves, ¿vale? Díselo tú a Paula, que yo no tengo su wasap.

Pista 17. Mensaje 1
Clínica de especialidades Avicena. En este momento todos nuestros operadores están ocupados. Si conoce el número de la extensión de la consulta con la que desea hablar, márquelo. Si no, espere unos instantes y le atenderemos lo antes posible. Gracias.

Pista 18. Mensaje 2
Buenas tardes. Llamo de la consulta del doctor González. El doctor ha tenido que salir a atender una emergencia y no va a poder verle esta tarde, pero puede venir mañana a la misma hora. Si no es posible o prefiere otro día, póngase en contacto con nosotros, por favor. Muchas gracias.

Pista 19. Mensaje 3
¿Bruno? Soy Verónica. No voy a poder ir a jugar al tenis con vos. Me duele mucho el brazo izquierdo. Ya llamé para pedir cita con el fisioterapeuta a ver si me da un masaje. Mirá, hablé con Juan y me dijo que va él. Ya sé que no te gustá jugar con Juan, pero… bueno, te llamo después.

Pista 20. Mensaje 4
Buenos días. Este es un mensaje para la señora Rodríguez. Llamo de la farmacia Herrera. Han llamado del laboratorio para decirnos que sí tienen el gel de germen de trigo que usted encargó y que lo servirán esta tarde. El precio es de 25 €. Puede pasar a recogerlo mañana por la tarde, para más seguridad.

Pista 21. Mensaje 5
Hola, Ángeles. Oye, te llamo porque no puedo quedar contigo esta tarde. El niño ha pasado toda la noche vomitando y con fiebre muy alta. Tuve que llevarlo a urgencias y no ha dormido en toda la noche. Ahora está mejor, pero sigue con algo de fiebre. Te llamo más tarde y quedamos para otro día. Hasta luego.

Pista 22. Mensaje 6
¿Es usted fumador y quiere dejarlo? ¿Lo ha intentado usted solo y ha sido imposible? En el gabinete de psicología Soluciones podemos ayudarle. El ochenta por ciento de nuestros pacientes ha conseguido dejar de fumar en menos de tres meses. Venga a visitarnos en calle Real, 25, o visite nuestra página web www.soluciones.com.

Pista 23. Mensaje 7
Consulta de odontología de la doctora Romero. El horario de consulta general es lunes, miércoles y viernes de 9:00 a 14:00 y de 16:00 a 19:30. Para consultas de ortodoncia, martes y jueves de 8:00 a 13:30 y de 16:00 a 20:00. Para urgencias, llame al 667843345. Durante el mes de agosto le atenderemos en nuestra consulta de la calle Paz, 25.

EXAMEN 4. Los estudios y la cultura

TAREA 1   PISTAS 1-7

A continuación, escuchará seis conversaciones. Oirá cada conversación dos veces. Después, marque la opción correcta, a), b) o c), para cada pregunta, 1-6. Ahora, va a oír un ejemplo.

Pista 1. Conversación 0
Va a escuchar a una mujer hablando con un amigo.
MUJER: Las actividades de la semana cultural de este año me parecen muy interesantes. La conferencia de ayer sobre la influencia de las redes sociales fue muy buena.
HOMBRE: ¡Sí! Me encantó. ¿Y qué hay hoy?
MUJER: Espera… miro el programa… Pues hay una película mexicana, *Solteras*.
HOMBRE: ¡Ah, sí! Una comedia, pero ya la he visto.
MUJER: También actúa un cuarteto de música clásica… y está la exposición sobre mujeres viajeras a la que todavía no hemos ido.
HOMBRE: Pero esa la podemos ver cualquier día. Mejor el concierto.
MUJER: Vale.

Pista 2. Conversación 1
Va a escuchar a una mujer hablando con un dependiente en una papelería.
HOMBRE: Buenos días, ¿en qué puedo ayudarla?
MUJER: Pues, a ver, necesito una caja de lápices de colores, dos gomas de borrar, un cuaderno grande de dibujo y una regla. No, una regla no, que ya tengo.
HOMBRE: Aquí tiene.
MUJER: ¿No tiene una caja con más colores?
HOMBRE: Pues no, no me quedan, pero vamos a recibir cajas más grandes mañana.
MUJER: No sé qué hacer. La profesora nos ha dicho que veinticinco colores.
HOMBRE: Puede llevarse esta y, si no es suficiente, la cambia mañana.
MUJER: Mejor hablo con ella primero. Me llevo solo lo otro.

Pista 3. Conversación 2
Va a escuchar a dos compañeros de clase hablando.
MUJER: ¿Quedamos esta tarde para el trabajo de Arte?
HOMBRE: Primero tenemos que ir al museo para ver la obra de los pintores.
MUJER: Pero el tutor dijo que lo primero era buscar información en la biblioteca sobre los artistas y luego ir a ver su obra.
HOMBRE: Pues yo entendí lo contrario.
MUJER: Mira, mejor hablamos mañana con el tutor para saber exactamente qué tenemos que hacer y luego empezamos el trabajo.
HOMBRE: De acuerdo. ¿A las nueve en la puerta de la facultad?
MUJER: Perfecto.

Pista 4. Conversación 3
Va a escuchar a un padre hablando con su hija.
HOMBRE: ¿Qué tal llevas los exámenes, Lucía?
MUJER: Bastante bien, papá. Hoy me han dado los resultados de Biología y he aprobado. El de Literatura y el de Historia creo que me han salido bien.
HOMBRE: Entonces, ¿solo te queda hacer el de Matemáticas?
MUJER: Ese es el primero que hice, pero no me han dado los resultados. La semana que viene tenemos el de Física y ya está.
HOMBRE: ¡Qué bien!

Pista 5. Conversación 4
Va a escuchar a un hombre hablando con una amiga.
HOMBRE: ¡Qué bien! La próxima semana empieza el Festival de Músicas del Mundo.
MUJER: Es verdad. Me encanta ese festival. ¿Vas a ir a algún concierto?
HOMBRE: Todavía no he visto el programa, pero he oído que este año actúan muchos grupos españoles de rock y también viene Estopa. Me encantan.

MUJER: Sí, a mí también, pero su actuación coincide con la de un grupo de folclore peruano que quiero ver.
HOMBRE: ¡Qué pena! ¿Y hay alguna otra cosa interesante?
MUJER: Pues sí. Hay un espectáculo de flamenco magnífico, pero es el jueves y yo trabajo hasta tarde.

Pista 6. Conversación 5
Va a escuchar a un hombre hablando con una amiga.
HOMBRE: Tu hija estudia violín, ¿no?
MUJER: Empezó, sí, pero lo dejó y ahora esta tocando la guitarra eléctrica.
HOMBRE: Vaya. ¿Te acuerdas que te comenté que mi hijo quería estudiar un instrumento? A lo mejor tu hija podía hablar con él y darle algún consejo.
MUJER: ¿Qué idea tiene él?
HOMBRE: No sabe. Al principio decía que violín y su madre y yo estábamos de acuerdo. Pero ahora dice que piano. ¿Y dónde metemos un piano en casa? Además, debe de ser carísimo.
MUJER: Un violín también puede ser muy caro…

Pista 7. Conversación 6
Va a escuchar a un hombre hablando con una empleada de un centro cultural.
HOMBRE: Perdone, la exposición de fotografía Paisajes, ¿en qué sala es?
MUJER: Aquí abajo.
HOMBRE: ¿Qué otras exposiciones hay?
MUJER: Pues en la galería de cristal hay una muestra de cerámica popular y en la planta primera hay una exposición de pintura abstracta con los cuadros del concurso Jóvenes Pintores.
HOMBRE: Gracias. Voy a empezar por ahí.
MUJER: Le aconsejo ver la exposición de cerámica, porque termina hoy.
HOMBRE: ¿No me da tiempo a ver todo?
MUJER: No creo, cerramos dentro de una hora.
HOMBRE: Vale, gracias, voy a seguir su consejo.

TAREA 2   PISTAS 8-14

A continuación, escuchará seis anuncios de radio. Oirá los anuncios dos veces. Después, marque la opción correcta, a), b) o c), para cada pregunta, 7-12. Ahora, va a oír un ejemplo.

Pista 8. Anuncio 0
¿Te gusta escribir? Con motivo del Día del Libro, la librería Abecedario organiza un concurso de escritura para adolescentes entre 13 y 16 años. El tema: *El primer libro que leí*. Si nos cuentas tu primera experiencia como lector, puedes conseguir un estupendo ordenador portátil. Y regalamos, a todos los participantes, un libro de la editorial Mateo y Simón. ¡Apúntate ya!

Pista 9. Anuncio 1
Artec, papelería especializada en artículos y materiales de arquitectura, dibujo técnico y diseño, cumple 25 años al servicio de los estudiantes de Arquitectura y quiere celebrarlo. Por eso y solo durante la próxima semana todos los productos tienen un 25% de descuento presentando el carné de estudiante de la facultad. Aprovecha esta oferta. Estamos en el centro comercial La Estrella, local 23.

Pista 10. Anuncio 2
Un misterioso asesinato, cuatro guapísimas y apasionadas mujeres, una extraña visitante, un protagonista confundido y mucho buen humor son algunos de los elementos que forman *Mentiras*, el divertido musical creado a partir de las canciones más exitosas del México de la década de los ochenta. Ven a disfrutar de las inolvidables canciones de aquellos maravillosos años.

Pista 11. Anuncio 3
¿Cuántas veces has intentado aprender inglés? Pues ahora, y en solo unos meses, puedes conseguirlo en el centro de estudios Edulingua. Edulingua ofrece cursos dirigidos a aquellos que quieren usar el inglés en situaciones sencillas de la vida cotidiana. Al terminar estarás preparado para presentarte al examen de nivel básico II de la Escuela Oficial de Idiomas. ¡Aprende, por fin, inglés!

Pista 12. Anuncio 4
Porque nunca es demasiado pronto para empezar a leer, la editorial Palabras, presenta *Caramelo*, una nueva colección para los pequeños de la casa, con la que se quiere hacer llegar a los jóvenes lectores los títulos clásicos con los que ya disfrutaron sus padres y abuelos.
Además, en Palabras se ofrecen obras de creadores actuales del panorama internacional desconocidos hasta ahora en España. En las mejores librerías.

Pista 13. Anuncio 5
La Región, revista semanal que cada viernes te acerca la actualidad cultural de tu comunidad, te ofrece una oportunidad inigualable: este viernes y por solo 3 € euros más, puedes llevarte también *La belleza que nos rodea*, una guía de 150 páginas con fotos a todo color de los lugares más interesantes y bellos de tu comunidad. Pregunta en tu quiosco o librería más cercana.

Pista 14. Anuncio 6
¿Sabías que el periodo de máximo desarrollo del cerebro humano va desde el nacimiento hasta los 6 años? Esa es la edad de los alumnos de la escuela infantil Miraflores.
Nuestra metodología permite al niño desarrollar su inteligencia a través del juego, al mismo tiempo que aprende sin problema matemáticas, lectura, inglés, música, pintura…
Nuestros maestros son especialistas en educación temprana. Infórmate en www.miraflores.com.

TAREA 3   PISTA 15

A continuación, escuchará una conversación entre dos amigos, Andrés y Rocío. Indique si los enunciados, 13-18, se refieren a Andrés a), Rocío b) o a ninguno de los dos c).

HOMBRE: ¡Hola, Rocío! Siento llegar tarde. ¿Hace mucho que estás esperando? Ya sabes que en verano los transportes tardan más…
MUJER: ¡No te preocupes! Normalmente soy yo la que te hace esperar.
HOMBRE: ¡Vaya!, veo que hay mucha cola.
MUJER: Claro, Sorolla es un pintor muy conocido. Es uno de mis artistas favoritos y me parece que es uno de los mejores pintores impresionistas de todos los tiempos.
HOMBRE: Sí, a mí también me encanta. El impresionismo es mi estilo favorito.
MUJER: Además, dicen que es la exposición más completa que se ha hecho de él hasta ahora.
HOMBRE: Sí. Yo he visto la mayoría de sus cuadros en museos o en otras exposiciones. Pero es la primera vez que voy a ver algunos. Los que vienen de Nueva York es la primera vez que se van a ver en España.
MUJER: Esos precisamente los he visto yo este verano.
HOMBRE: ¿Has estado en Nueva York?
MUJER: Sí, Dos semanas. Recorrimos algunas ciudades de la costa este: Nueva York, Washington, Boston… Oye, ¿sabes cuánto cuesta la entrada?
HOMBRE: Mira, ahí dice: público general quince euros. Jubilados, siete cincuenta.
MUJER: ¡Qué caro!
HOMBRE: Para mí es gratis con el carné de profesor…
MUJER: ¡Qué suerte! Oye, después de ver la exposición, quiero pasar por la tienda del museo. Es algo que siempre me gusta hacer. Así me llevo el catálogo. Me han dicho que las fotos son fantásticas. ¿No te interesa a ti también?
HOMBRE: Creo que no. Tengo varios libros sobre Sorolla bastante buenos.
MUJER: Oye, ¿comemos juntos luego?
HOMBRE: Vale, pero no puedo estar mucho porque he quedado con Alicia para ir a la filmoteca a ver una película de Amenábar. ¿Quieres venir?
MUJER: No puedo, he quedado también.

TAREA 4   PISTAS 16-23

A continuación, escuchará siete mensajes. Oirá cada mensaje dos veces. Después, seleccione el enunciado, a)-j), que corresponde a cada mensaje, 19-25. Hay diez enunciados. Tiene que seleccionar siete. Ahora, va a oír un ejemplo.

Pista 16. Mensaje 0
Hola, Marisa. Hoy he pasado por tu oficina para devolverte el libro que me prestaste, pero no estabas. La verdad es que tenías razón. Me ha parecido bastante aburrido y mucho peor que sus novelas anteriores. Mañana nos vemos y lo comentamos. Un beso.

Pista 17. Mensaje 1
Este es el contestador automático de la academia Comunicando. Les recordamos que, con motivo de la celebración de las fiestas de Navidad y Año Nuevo, no hay clases. Los cursos comienzan otra vez el 7 de enero en sus horarios habituales. Gracias.

Pista 18. Mensaje 2
Buenas tardes, este es un mensaje para el señor Larenas. Respecto al certificado de estudios que nos pidió,

necesitamos el número de DNI. No podemos hacerlo sin ese dato. Puede llamarnos por la mañana de 10:00 a 14:00 o por la tarde de 17:00 a 20:00. Esperamos su llamada.

Pista 19. Mensaje 3
Buenos días, señora Ortiz, soy Aurora. Llamaba para decirle que esta semana no puedo dar la clase a Diego. Es que empezamos con los exámenes y tengo que estudiar. Si le parece bien, puedo ir el sábado o el domingo. Llámeme para confirmármelo. Hasta luego.

Pista 20. Mensaje 4
Buenas noches, señoras y señores. El teatro Moreto les da la bienvenida. Les recordamos que está prohibido hacer fotos durante la representación y les rogamos mantener apagados los móviles durante toda la obra. También les advertimos que está prohibido salir o entrar en la sala, excepto en los descansos. Muchas gracias y disfruten de la velada.

Pista 21. Mensaje 5
Hola, Inés, soy Juan. No te lo vas a creer, pero… ¡por fin he aprobado las Matemáticas! Así que puedo ir con vosotros a Mallorca. Mis padres están supercontentos y me han dicho que me pagan el billete. Tenemos que quedar para planearlo todo. Si te parece, nos vemos mañana por la tarde. Díselo a todos. Un beso.

Pista 22. Mensaje 6
Buenas tardes. Llamamos de la librería EsteOeste para comunicarles que los libros de José Martínez de 1.º de ESO ya han llegado, excepto el de Matemáticas de la editorial Mulhacén. Probablemente va a llegar a finales de esta semana. Si quieren, pueden pasar a recogerlos la semana que viene. Les recordamos que nuestro horario es de 10:00 a 20:00 ininterrumpidamente. Gracias.

Pista 23. Mensaje 7
Hola, Vicky, soy Patricia. Te llamo para pedirte que comprés vos los boletos para el concierto del viernes. Para mí es imposible comprarlos porque tengo muchísimo trabajo estos días. Intenté llamar a Jorge, pero no contesta. Son cuatro boletos, porque la novia de Jorge viene también. Después te los pagamos. Un beso y gracias.

EXAMEN 5. El trabajo

TAREA 1   PISTAS 1-7

A continuación, escuchará seis conversaciones. Oirá cada conversación dos veces. Después, marque la opción correcta, a), b) o c), para cada pregunta, 1-6. Ahora, va a oír un ejemplo.

Pista 1. Conversación 0
Va a escuchar a un hombre que habla con la recepcionista de una empresa.
MUJER: Buenos días. ¿En qué puedo ayudarle?
HOMBRE: Buenos días. Tengo cita con el señor Hernández.
MUJER: ¿Ahora? ¡Qué raro! Creo que ha salido al médico…
HOMBRE: Pues, ayer hablé con él y me dijo que tenía que ser hoy a las 10, porque después tenía una reunión de trabajo…
MUJER: ¡Ah! ¡Entonces usted quiere decir el señor Hernando, no el señor Hernández!
HOMBRE: ¡Sí, es verdad, perdone!
MUJER: No pasa nada. El señor Hernando está en su despacho. La segunda puerta a la izquierda.

Pista 2. Conversación 1
Va a escuchar a la directora de una empresa hablando con un empleado.
MUJER: Alberto, ¿has terminado el informe?
HOMBRE: Sí. Ya he mirado todas las encuestas, las he comparado con los resultados del año pasado y he redactado las conclusiones. Han salido temas muy interesantes.
MUJER: ¡Perfecto! Pásame el documento, por favor.
HOMBRE: Bien. Te lo paso por correo electrónico.
MUJER: Pues… es que no me gusta leer en la pantalla del ordenador. ¿Me lo puedes pasar en papel?, por favor.
HOMBRE: Es que no se puede imprimir. La impresora no funciona desde ayer.
MUJER: Vaya, entonces hay que llamar al servicio técnico.

Pista 3. Conversación 2
Va a escuchar a dos compañeros de trabajo a la hora del café.
MUJER: ¿Dónde comes hoy? Alberto y yo vamos a ir al nuevo restaurante. Todos hablan muy bien de él.

HOMBRE: Sí, dicen que es muy bueno y el servicio, muy rápido. ¡Qué bien, porque ya estoy aburrido de comer todos los días un bocadillo delante del ordenador!
MUJER: ¡Verdad que sí! Entonces, ¿te vienes? Hemos quedado a las dos menos cuarto abajo en la recepción.
HOMBRE: Pues… no, es que hoy como en casa. Esta semana tengo horario solo de mañana. Pero el miércoles voy con vosotros.
MUJER: ¡Perfecto!

Pista 4. Conversación 3
Va a escuchar a una pareja hablando por la noche en su casa.
HOMBRE: Otra vez he llegado tarde al trabajo hoy por culpa del tráfico. Mi jefe estaba muy enfadado.
MUJER: ¿Por qué no vas en el autobús de la empresa?
HOMBRE: Sí, pero entonces tengo que salir de casa muy temprano, a las seis y media. Si voy en coche, puedo salir a las siete. Pero si el tráfico está mal…
MUJER: ¿Y si vas en metro y en bicicleta, como antes?
HOMBRE: Pues sí, es más ecológico y hago ejercicio. La semana que viene voy en bici.

Pista 5. Conversación 4
Va a escuchar a un hombre hablando con una compañera de trabajo.
MUJER: ¿A qué hora vas a venir el lunes?
HOMBRE: A las ocho, como siempre. ¿Por qué?
MUJER: Es que quería enseñarte mi presentación antes de la reunión y como esta mañana te he visto llegar a las siete y media…
HOMBRE: Ya, es que ayer tenía que ir al colegio de mi hijo para hablar con su profesora y vine a las nueve, así que hoy y mañana vengo media hora antes. Pero si quieres, el lunes vengo pronto también.
MUJER: Sí, por favor. ¡Muchas gracias!

Pista 6. Conversación 5
Va a escuchar a dos compañeros hablando a la salida del trabajo.
MUJER: ¿Has conocido ya al nuevo director de marketing?
HOMBRE: No. ¿Qué tal es?
MUJER: Bueno, parece simpático… ¡Mira! Es ese que está ahí.
HOMBRE: ¿El que está esperando el ascensor?
MUJER: ¡No, hombre! Ese es Antonio, el director comercial.
HOMBRE: Es verdad. Entonces, ¿es el del traje claro y corbata que está mirando la tableta? Es que no llevo las gafas…
MUJER: ¡Nooo! Ese es Eduardo. Es el de barba y traje oscuro que tiene una tableta.
HOMBRE: ¡Ah, vale!

Pista 7. Conversación 6
Va a escuchar a una mujer hablando con un amigo.
MUJER: ¿Presentó tu hija su currículum en la agencia de viajes?
HOMBRE: ¡Sí! Pero resulta que se necesitaba hablar alemán y ella solo habla inglés y francés. Pero se presentó a una oferta de trabajo en una tienda de ropa y ahora está allí como dependienta. Está encantada.
MUJER: Lo que no entiendo es por qué no busca trabajo como profesora. Tiene la titulación…
HOMBRE: ¡Ya! ¡Eso pienso yo! Pero dice que no le gustan los niños…

TAREA 2   PISTAS 8-14

A continuación, escuchará seis anuncios de radio. Oirá los anuncios dos veces. Después, marque la opción correcta, a), b) o c), para cada pregunta, 7-12. Ahora, va a oír un ejemplo.

Pista 8. Anuncio 0
¿Quiere usted dar un nuevo aire a su despacho? ¿Busca muebles prácticos y elegantes al mismo tiempo? En Ofico somos especialistas y le podemos ayudar. Este mes, y con motivo de la inauguración de nuestra tienda número 100, tenemos ofertas muy interesantes y por menos dinero de lo que usted imagina. No lo piense más y decídase ya a cambiar su despacho.

Pista 9. Anuncio 1

¿Necesitas trabajo? ¿Quieres crear tu empresa y ser tu propio jefe? Nosotros creemos en ti y te damos toda la información necesaria para poner en marcha tu negocio: cómo conseguir la financiación, qué pasos hay que dar para empezar un negocio, cómo hacer publicidad. Ven con tu idea y nosotros te ayudamos a desarrollarla. Pide cita en el 978788722.

Pista 10. Anuncio 2

Si buscas trabajo, este es tu libro: *100 consejos prácticos para encontrar trabajo*. Destinado a personas que buscan su primer empleo y para los que quieren mejorar su carrera profesional. Este libro te ayuda a: conocer qué buscan realmente las empresas; elaborar un buen CV; escribir cartas de presentación atractivas; responder a preguntas difíciles y dominar técnicas para impresionar a los entrevistadores. ¡Ya a la venta en tu quiosco!

Pista 11. Anuncio 3

La Facultad de Enfermería de Miami celebra este miércoles su tercera feria anual. En esta feria, se ofrece la posibilidad de entrevistarse con personal de hospitales y clínicas de la zona que ofrecen empleos. También, se facilita toda la información necesaria sobre inscripciones y becas a aquellas personas interesadas en seguir esta carrera. La enfermería es una carrera con futuro. Vení a la feria.

Pista 12. Anuncio 4

¿Has pensado desarrollar tu carrera profesional en el extranjero? ¿No sabes qué trámites tienes que hacer? Si quieres trabajar fuera de nuestras fronteras, mejorar tu currículum, perfeccionar un idioma o vivir una experiencia única, la agencia Europamás te da ideas sobre las diferentes posibilidades que existen para trabajar en el extranjero. También te ayudamos con todos los formularios que hay que completar. Infórmate en www.europamas.com.

Pista 13. Anuncio 5

Con motivo de la celebración el 8 de marzo del Día de la Mujer Trabajadora, la Oficina de la Mujer del Ayuntamiento de Moya organiza diversas actividades durante todo el mes: Conferencia del profesor Rodrigo González sobre «Igualdad de oportunidades» en la Casa de la Cultura; Charla sobre el tema «Mi madre trabaja» en el colegio Villa de Moya; Exposición de fotos en el salón de actos del instituto Isabel Allende. Y muchas cosas más. Ven a visitarnos.

Pista 14. Anuncio 6

El hogar del jubilado de Collado Villasán organiza clases de informática avanzada para jubilados. El objetivo es capacitar a los mayores con conocimientos más avanzados para enseñar a sus compañeros los secretos de los ordenadores y de la red. Las clases son todos los sábados en el aula de informática del instituto de secundaria San Román.

TAREA 3 PISTA 15

A continuación, escuchará una conversación entre dos amigos, Felipe y Aurora. Indique si los enunciados, 13-18, se refieren a Felipe a), Aurora b) o a ninguno de los dos c).

HOMBRE: ¡Aurora! ¿Qué haces aquí? ¡Qué sorpresa!
MUJER: ¡Hola, Felipe! Pues ya ves, es que trabajo aquí.
HOMBRE: ¿Sí? Creía que trabajabas en un hotel.
MUJER: Sí, sí. Era recepcionista en el Hotel Paraíso, pero ahora estoy de dependienta aquí.
HOMBRE: ¿Y qué tal el cambio? ¿Estás contenta?
MUJER: Hombre, la verdad es que el trabajo en el hotel me gustaba. Especialmente, los compañeros, eran encantadores. Pero prefiero esto, sobre todo por el horario. Es que en el hotel tenía que trabajar por la noche. Aquí el horario es mucho mejor. Bueno, ¿en qué puedo ayudarte?
HOMBRE: Pues es que necesito un libro. Es un método para aprender inglés que se llama *Inglés fácil*. Es que me han ofrecido un nuevo puesto en el trabajo, pero necesito mejorar mi inglés. Tengo planes de irme a Estados Unidos este verano a hacer un curso.
MUJER: ¿De verdad? ¡Qué bien! Yo este año trabajo en julio y en agosto. Como he empezado hace poco, hasta el año que viene, nada.
HOMBRE: Oye, ¿a qué hora sales de trabajar? ¿Te apetece tomar un café?
MUJER: Hoy no puedo. Tengo que llevar a mi hija al oftalmólogo. Creo que va a necesitar gafas. Pero tenemos que celebrar tu ascenso. ¿Te apetece ir a aquel pub adonde íbamos cuando éramos estudiantes? Podemos ir el sábado o el domingo y así recordamos viejos tiempos.
HOMBRE: ¡Buena idea! Bueno, pago el libro y me voy, que tengo que volver al trabajo. Nos llamamos.

TAREA 4 PISTAS 16-23

A continuación, escuchará siete mensajes. Oirá cada mensaje dos veces. Después, seleccione el enunciado, a)-j), que corresponde a cada mensaje, 19-25. Hay diez enunciados. Tiene que seleccionar siete. Ahora, va a oír un ejemplo.

Pista 16. Mensaje 0
Alfredo, que me han dicho que el seminario al que nos apuntamos sobre *Cómo cerrar un acuerdo en Asia* no se va a celebrar este jueves sino el lunes de la próxima semana. Creo que será en el salón de actos. Te lo confirmo cuando esté segura.

Pista 17. Mensaje 1
Manuel, oye, te llamo porque hoy no puedo ir a casa a comer. Es que tengo que terminar un informe y esta tarde a primera hora tenemos una reunión. No sé a qué hora va a terminar, así que no voy a poder ir a buscar a los niños. Los recoges tú, ¿vale? Nos vemos luego. Un beso.

Pista 18. Mensaje 2
Este es el contestador automático del despacho de los abogados Bonilla, Navarro y Ortiz. En este momento todas nuestras líneas están ocupadas y no podemos atenderle. Por favor, llame pasados unos minutos. Gracias y disculpen las molestias.

Pista 19. Mensaje 3
Hola, Ana. Tengo una noticia fantástica: ¿te acuerdas del anuncio que vimos en el periódico del jueves en el que buscaban un informático para una oficina? Pues envié mi currículum y me han llamado. Empiezo la semana que viene. Estoy contentísimo. Tenemos que celebrarlo, llámame.

Pista 20. Mensaje 4
Buenas tardes. Este es un mensaje para el señor Alberto Sánchez. Llamo del servicio de mantenimiento informático. El ordenador que nos trajo no va a estar listo mañana. No tenemos la pieza que necesita y no nos la pueden traer hasta la semana que viene. El lunes le llamamos de nuevo para informarle. Gracias.

Pista 21. Mensaje 5
Margarita, soy Aurora. No sé si sabes que Antonio se jubila esta semana. He pensado prepararle una fiesta sorpresa este sábado en mi casa con todos sus excompañeros y con la familia y amigos, claro. ¿Tú me puedes ayudar a organizarla? Llámame.

Pista 22. Mensaje 6
Buenos días. Llamo de Tilesa. Recibimos el currículum que nos envió para el puesto de secretaria de dirección y ha sido seleccionada. Si sigue interesada en la oferta, tiene que presentarse mañana, a las 12:00, para una entrevista de trabajo con la directora de recursos humanos. Si no puede, contacte con nosotros esta tarde o mañana por la mañana. Gracias.

Pista 23. Mensaje 7
Hola, Yolanda. Ya sabes que mañana empiezo a trabajar en la agencia de publicidad. Estoy muy nervioso. ¿Tú crees que debo llevar traje y corbata o puedo ir con ropa informal? Es que quiero dar una buena impresión y no sé qué es lo correcto en estos casos. Llámame esta noche. Hasta luego.

EXAMEN 6. El ocio, los viajes y las comunicaciones

TAREA 1 PISTAS 1-7

A continuación, escuchará seis conversaciones. Oirá cada conversación dos veces. Después, marque la opción correcta, a), b) o c), para cada pregunta, 1-6. Ahora, va a oír un ejemplo.

Pista 1. Conversación 0
Va a escuchar a dos amigos hablando.
MUJER: Entonces, ¿vamos al Festival de Teatro Clásico de Mérida la próxima semana?
HOMBRE: ¡Sí, claro! Ya tengo la reserva del hotel.
MUJER: ¡Qué bien! Miré el programa en Internet y este año hay cosas muy interesantes. Tenemos que sacar las entradas lo más pronto posible. ¿Las compro?
HOMBRE: No, las compré cuando hice la reserva del hotel. Había un descuento si se hacía al mismo tiempo.
MUJER: ¡Perfecto! ¿Vamos en coche?
HOMBRE: Mejor en tren. ¿Puedes encargarte tú de eso?
MUJER: Claro, ya sabes que trabajo cerca de la estación de Renfe.

Pista 2. Conversación 1
Va a escuchar a una mujer hablando con su marido.
MUJER: Julio, la niña ha aprobado el curso y le he prometido hacer algo el domingo para celebrarlo.
HOMBRE: ¡Me parce buena idea! ¿Qué has pensado? ¿Vamos al Parque de Atracciones?
MUJER: Mejor al cine. Está deseando ver la nueva versión de *Aladdin*.
HOMBRE: ¿Al cine? Pero es una pena, con el buen tiempo que hace.
MUJER: Tienes razón. Podemos ir a la exhibición de delfines del acuario.
HOMBRE: Uff. Pero ya estuvimos allí el año pasado. Mejor el Parque de Atracciones.
MUJER: Yo creo que ella prefiere ver animales. Ya sabes que le encantan.
HOMBRE: Bueno, vale. Voy a comprar las entradas por Internet.

Pista 3. Conversación 2
Va a escuchar a dos compañeros de trabajo hablando.
MUJER: ¡Por fin viernes! ¿Tienes planes para el fin de semana?
HOMBRE: Pues el sábado, como siempre, quería jugar al tenis, pero he mirado en Internet y va a llover.
MUJER: Sí. Ayer dijeron en las noticias que llovía todo el fin de semana.
HOMBRE: ¿Sí? Pues mi mujer y yo teníamos planes de salir con la bicicleta el domingo.
MUJER: ¡Qué mala suerte! Toda la semana buen tiempo y el fin de semana, agua.
HOMBRE: Pues sí.
MUJER: Entonces, hay que quedarse en casa y ver una película, escuchar música, leer…
HOMBRE: Pues yo necesito hacer ejercicio. Así que voy a ir a la piscina cubierta y nadar una hora al menos.

Pista 4. Conversación 3
Va a escuchar a un hombre hablando con la recepcionista de un hotel.
HOMBRE: Buenos días, quería reservar una habitación para cuatro amigos para el próximo fin de semana. Ayer intentaron llamar por teléfono, pero se cortaba la comunicación.
MUJER: ¡Ah, sí! Ya recuerdo. Es que últimamente estamos teniendo problemas con la red. En algunas zonas hay poca cobertura.
HOMBRE: ¿Y no tienen teléfono fijo? ¿Un número de móvil?
MUJER: No, lo siento. Bueno, dígame a nombre de quién hacemos la reserva.
HOMBRE: Pedro Suárez.
MUJER: Bueno, ya está. Y diga a sus amigos que la próxima vez envíen un correo electrónico.

Pista 5. Conversación 4
Va a escuchar a un hombre hablando con su mujer.
HOMBRE: Oye, tenemos que preparar las cosas para la excursión del fin de semana.
MUJER: Sí, es verdad. El otro día fui a la librería y compré esta guía del Parque de Ordesa.
HOMBRE: Pero si teníamos una con rutas…
MUJER: Ya, pero estaba anticuada.
HOMBRE: ¿Y tiene mapa de carreteras?
MUJER: Con el GPS ya no es necesario.
HOMBRE: Tienes razón. Lo que sí necesito es una mochila.
MUJER: Pero si tenías una muy buena.
HOMBRE: Ya, pero se la presté a Juan y no me la ha devuelto.

Pista 6. Conversación 5
Va a escuchar a una mujer que habla con el empleado de una oficina de turismo.
MUJER: Buenos días. Queremos saber qué podemos ver en la ciudad.
HOMBRE: Sí, mire. Hay varias rutas. ¿Cuánto tiempo van a estar?
MUJER: Solo hoy, unas horas.
HOMBRE: En ese caso, les aconsejo esta ruta, la marcada en color rojo en el plano. Tienen que ir hasta esta torre, allí empieza. Van hacia el barrio viejo, pasean por sus calles, ven la catedral y terminan en el mirador. Desde allí hay una vista preciosa del río. Es una ruta corta.
MUJER: Ya, bien, pero me han hablado de una plaza muy bonita con terrazas…
HOMBRE: ¡Ah! Sí, está muy cerca, mire tiene que tomar esa calle a la derecha y…

Pista 7. Conversación 6
Va a escuchar a una mujer hablando con un amigo.
MUJER: ¿Todo preparado para el viaje? Aquí tengo los pasaportes y los billetes.

HOMBRE: Sí, sí, pero antes de salir para el aeropuerto quiero meter el coche en el garaje. No me gusta dejarlo dos semanas en la calle.
MUJER: ¡Vale! ¿Has pedido ya el taxi?
HOMBRE: Nos va a llevar Juan. Le dije que podemos ir en el autobús, pero ha insistido en que nos lleva él.
MUJER: Mejor, es muy incómodo el autobús con las maletas.

TAREA 2 PISTAS 8-14

A continuación, escuchará seis anuncios de radio. Oirá los anuncios dos veces. Después, marque la opción correcta, a), b) o c), para cada pregunta, 7-12. Ahora, va a oír un ejemplo.

Pista 8. Anuncio 0
¿Todavía no tienes ADSL en casa? ¡A qué esperas! Telecom te ofrece ADSL de 25 megabytes más todas las llamadas nacionales por solo 54,90 € al mes. Y ahora aprovecha esta increíble oferta: si contratas el servicio durante el mes de enero, el primer año solo pagas 30 € al mes. No pierdas esta fabulosa oportunidad. Llama ahora 902111999.

Pista 9. Anuncio 1
Hacer ejercicio es fundamental para la salud y para mantenerse joven, pero no todos los gimnasios son iguales. En Gym Equilibrio puedes practicar gran variedad de actividades. Gym Equilibrio cuenta con las más avanzadas técnicas y aparatos para mejorar tu bienestar. Dispone además de sauna, *jacuzzi* y piscina climatizada. ¡Ven a conocernos! Profesionales expertos te aconsejarán qué actividad deportiva es mejor para ti.

Pista 10. Anuncio 2
¡Ven al zoológico! El mejor lugar para disfrutar toda la familia. Miles de animales, insectos y plantas te esperan. Fantásticos espectáculos con delfines y leones marinos. Aprovecha nuestra oferta: bono de diez visitas por el precio de nueve. Y para no tener que esperar, ahora puedes comprar tus entradas electrónicas a través de su página: www.zoologico.org.

Pista 11. Anuncio 3
¿Su hijo piensa viajar por estudios o por turismo? ¿Ha pensado qué seguro va a contratar? Interasistencia Joven es un seguro internacional para menores de 21 años, que cubre la asistencia si viaja por otros países europeos o por el resto del mundo. No solo cubre las necesidades médicas, sino también los retrasos de los vuelos y el robo o pérdida de su equipaje. Un seguro fácil de contratar adaptado a sus necesidades. Infórmese en www.mundisegur.com.

Pista 12. Anuncio 4
En el club de senderismo Amigos de la montaña te invitamos a unirte a nosotros para descubrir esa belleza natural que tenemos tan cerca de nuestra ciudad. Nuestro objetivo es disfrutar del tiempo libre haciendo ejercicio sano y conociendo a gente con nuestros mismos gustos. ¡Únete a nosotros! Todos los domingos interesantes excursiones a la montaña. Consulta nuestro folleto en www.amigosmontaña.org.

Pista 13. Anuncio 5
Hoy, como cada martes, en Radio Sí, *La vuelta al mundo en ochenta libros*. Jordi Puig, nuestro presentador, nos lleva esta vez a Brasil a través de la obra *Amazonas, un viaje imposible*, de Juan Madrid. Al final del programa, como siempre, los radioyentes pueden hacer sus preguntas o dar sus opiniones. No lo olviden, esta tarde a las 7, en su emisora favorita.

Pista 14. Anuncio 6
Descubre la belleza de África a través de un safari fotográfico de ocho días. Una fantástica forma de visitar y explorar las más importantes reservas y parques naturales de África y conocer a los guerreros masais. Desde los coches puedes observar leones cazando, manadas de cebras, ríos llenos de cocodrilos. Si te gusta la aventura, no lo dudes, haz tu reserva en *Safaris para todos* o visita www.safarisparatodos.es.

TAREA 3 PISTA 15

A continuación, escuchará una conversación entre dos amigos, Guillermo y Marta. Indique si los enunciados, 13-18, se refieren a Guillermo a), Marta b) o a ninguno de los dos c).

MUJER: Siento llegar tarde, Guillermo. El GPS me ha llevado por otra ruta y se me ha terminado la batería, así que no he podido avisarte.
HOMBRE: Para venir al centro es mejor el transporte público. No hay problemas para aparcar y es más cómodo. Yo he venido en metro leyendo sobre México. Rosa y yo pensamos ir las próximas vacaciones.
MUJER: ¿No fuisteis hace dos años?
HOMBRE: Nooooo. Al final tuvimos que cancelarlo.
MUJER: ¡Es verdad! Lo había olvidado. Nosotros estuvimos en Cancún, hace tres años. ¡Me encantó! ¡Todo el día en la playa tomando el sol!

HOMBRE: Ya, bueno, nosotros preferimos algo más cultural. No somos muy aficionados a tomar el sol. Lo que queremos es ver las pirámides mayas, los sitios arqueológicos…
MUJER: Bueno, pero desde allí puedes hacer excursiones, por ejemplo, a Chichén Itzá.
HOMBRE: ¡Ah, perfecto! Oye, ¿y algún consejo práctico?
MUJER: Sí. Llevad la maleta vacía para traer muchas cosas. ¡La artesanía es preciosa! Recuerdo que no pude traer todo lo que quería.
HOMBRE: ¡Eso sí que me gusta! He visto fotos de tapices y cerámica mexicanos preciosos.
MUJER: A Rosa le va a encantar.
HOMBRE: No creas, no es muy aficionada a esas cosas… ¿Y tú? ¿Qué planes tienes para el verano?
MUJER: Me quedo trabajando. Este año me voy de vacaciones en invierno a esquiar.
HOMBRE: ¿Dedicas las vacaciones a esquiar?
MUJER: Sí. ¿No te gusta el deporte?
HOMBRE: ¡Lo que no me gusta es el frío! Pero cuando hace buen tiempo monto en bici y hago senderismo.
MUJER: Bueno, ¿pedimos un café y tarta de chocolate?
HOMBRE: Yo un té con limón. Acabo de comer.

TAREA 4 PISTAS 16-23

A continuación, escuchará siete mensajes. Oirá cada mensaje dos veces. Después, seleccione el enunciado, a)-j), que corresponde a cada mensaje, 19-25. Hay diez enunciados. Tiene que seleccionar siete. Ahora, va a oír un ejemplo.

Pista 16. Mensaje 0
8 GB/mes con alta velocidad (si se te acaban los datos, la velocidad se reduce, pero no te cobramos extra). Llamadas ilimitadas a móviles y fijos nacionales, 0 cent/min las 24 horas (establecimiento de llamada incluido). Además, puedes añadir hasta 4 líneas móviles, con una tarifa de igual o menor valor a la principal. Si lo contratas antes de Navidad, tienes un descuento del 50% para siempre. Así de fácil.

Pista 17. Mensaje 1
Atención, señores clientes: PC Manía soluciones informáticas les recuerda que a partir del próximo 1 de julio y hasta el 1 de septiembre tenemos horario de verano de 9 de la mañana a 5 de la tarde, de lunes a viernes. También les recordamos que pueden visitarnos en nuestra página web: www.pcmaniasol.com y disfrutar de nuestras promociones. Gracias.

Pista 18. Mensaje 2
Hola, Pablo, soy Adela. Oye, lo siento, pero mañana no voy a poder llegar a tu casa a las 5 como quedamos. Olvidé completamente que tengo que ir al aeropuerto a buscar a mi hermana que viene de Berlín. Así es que llegaré a las seis o seis y media. Hasta mañana.

Pista 19. Mensaje 3
Buenos días. Llamo de la agencia de viajes Soliluz para recordarles que si no confirman las reservas de su viaje a Grecia, en un plazo máximo de veinticuatro horas, tendremos que anularlas. Les esperamos mañana por la mañana en nuestra oficina. Gracias.

Pista 20. Mensaje 4
Hola, Nacho. Te llamo porque, como tú sabes tanto de informática, a lo mejor puedes ayudarme. Mira, es que últimamente mi portátil no funciona bien. Lo enciendo y siempre hay algún problema. Creo que puede ser un virus, pero no estoy seguro. Ya sabes que estoy preparando mi tesis y tengo ahí todo el trabajo. Llámame cuanto antes, por favor. Gracias.

Pista 21. Mensaje 5
Aviso a los señores usuarios del centro deportivo Deposport. El plazo para renovar los carnés termina este sábado. Les recordamos que deben pasar por secretaria en horario de 9 a 13, con el carné del año pasado y dos fotografías recientes. La información con los precios de este año se encuentra en el tablón de anuncios de la recepción. Gracias.

Pista 22. Mensaje 6
Hola, Ricardo. Te llamo para recordarte que el jueves hemos quedado en casa de Juan y Rosa para jugar a la Wii. El tenis por parejas es muy divertido. También podemos jugar a las cartas. Oye, hay que llevar algo para cenar. Marta y yo compramos las bebidas. Carlos lleva el postre. ¿Puedes hacer tú una tortilla y traer el pan? Gracias, hasta el jueves.

Pista 23. Mensaje 7
Hola, Alfredo, soy Rita. Te llamo para saber si te acuerdas del nombre de aquella tienda de informática donde estuvimos el mes pasado. Es que olvidé preguntarles por los discos duros externos: capacidad, precio, etc., y me gustaría mirar en su página web. Tampoco recuerdo bien el nombre de la calle. Llámame pronto porque lo necesito con urgencia.

CARACTERÍSTICAS Y CONSEJOS

TAREA 1   Pistas 1-4

Pista 1. Conversación 1
Va a escuchar a un hombre que habla con una amiga.
HOMBRE: Mañana otra vez elecciones generales. ¿Tienes ya las papeletas? ¿Vamos a votar por la mañana o por la tarde?
MUJER: Pues creo que mejor ir por la mañana. Así podemos hacer algo después.
HOMBRE: Pues sí, porque eso no lleva todo el día. Vamos por la mañana y luego, al campo. Podemos comer en el Asador Segoviano.
MUJER: ¿Por qué no al revés? Vamos al campo y volvemos por la tarde directamente a votar. Los colegios electorales cierran a las 8.
HOMBRE: Mejor ir a las 9 y así estamos tranquilos.
MUJER: Vale. ¡Y haz la reserva para las dos o dos y media en el asador!

Pista 2. Conversación 2
Va a escuchar a dos compañeros de trabajo a la hora del café.
MUJER: ¿Han llegado ya tus amigos alemanes?
HOMBRE: Sí, llegaron ayer. Quiero llevarlos a algún sitio bonito.
MUJER: Pues lo típico: al Reina Sofía o al Prado.
HOMBRE: Eso pueden hacerlo el lunes, mientras yo estoy en el trabajo.
MUJER: Llévalos al Monasterio de El Escorial y luego dais un paseo por la montaña.
HOMBRE: Los llevé la otra vez que vinieron. Les gustó mucho, pero no quiero repetir.
MUJER: Pues llévalos a Segovia. Les va a encantar la ciudad y el acueducto.
HOMBRE: ¡Buena idea!

Pista 3. Conversación 3
Va a escuchar a dos amigos hablando.
HOMBRE: ¿Qué te pasa? Te veo preocupada.
MUJER: Problemas con los vecinos.
HOMBRE: ¿Los que dejaban la basura en la escalera y dejaban la puerta del ascensor abierta?
MUJER: Exactamente.
HOMBRE: ¿No ha hablado el presidente de la comunidad con ellos?
MUJER: Sí y también les ha dicho lo de las fiestas por la noche.
HOMBRE: ¿Y no han cambiado?
MUJER: No… Y la verdad es que a mí me da igual todo excepto no poder dormir.
HOMBRE: Te entiendo.

Pista 4. Conversación 4
Va a escuchar a una pareja hablando por la noche.
MUJER: ¿Has hablado con tu jefe de las vacaciones?
HOMBRE: Sí, y me ha dicho que este año imposible tener las vacaciones en verano. Se espera mucho trabajo.
MUJER: ¡Vaya! Pensaba alquilar un apartamento en la playa.
HOMBRE: Pues la playa está difícil. Podemos ir a Sevilla en Semana Santa, tengo toda la semana. Tú nunca has ido. Y en Navidad tengo dos semanas, así que podemos ir a algún sitio de montaña. Puede ser muy agradable.
MUJER: Me gusta lo de Sevilla. Mañana mismo empiezo a buscar hotel, porque en esas fechas…

TAREA 2   Pistas 5-8

Pista 5. Anuncio 1
Todos sabemos que hacer deporte es sano y beneficioso para nuestra salud, pero no todos los gimnasios son iguales. En Venus Center vas a encontrar excelentes instalaciones: sauna, *jacuzzi*, piscina climatizada, aparatos y un preparado grupo de profesores que te aconsejarán qué actividad deportiva es mejor para ti. No lo dudes. Ven a Venus Center. Ofrecemos gran variedad de actividades para jóvenes y mayores.

Pista 6. Anuncio 2
¿Todavía no sabes qué hacer el próximo verano? No lo dejes para el último minuto. Águila Viajes, la agencia especializada en casas, apartamentos y chalés en la costa te puede ayudar. Ven a cualquiera de nuestras oficinas y comprueba que tenemos la oferta de alquileres más amplia del mercado. Y si lo que buscas es un lugar para vivir, tenemos decenas de apartamentos y chalés a tu disposición en toda España.

Pista 7. Anuncio 3
Si eres licenciado en cualquier carrera universitaria y sabes un idioma comunitario además del español, puedes conseguir tu título de Guía Turístico Oficial de la comunidad andaluza. Nuestro curso tiene tres módulos: Historia, Geografía y Cultura, que te preparan para el examen oficial. Y si no tienes tiempo de ir a clase, puedes hacerlo a través del Internet. Hazte guía: una profesión con futuro.

Pista 8. Anuncio 4
Y ahora la información del tiempo: por fin llega el anticiclón. Después de una semana de fuertes lluvias y frío en nuestra comunidad, este fin de semana vamos a tener un ambiente primaveral y soleado, con máximas de 19º el sábado y 20º el domingo. Mañana viernes todavía habrá algunas lluvias débiles por la mañana, pero por la tarde ya vamos a ver el sol.

TAREA 3   Pista 9

MUJER: Andrés, ¿dónde vas tan rápido?
HOMBRE: A la Escuela Oficial de Idiomas, tengo clase de catalán.
MUJER: ¿Catalán? ¿Y es difícil? Yo estudio euskera en la facultad y es muy complicado.
HOMBRE: Bueno, algunas cosas de gramática, pero en general no.
MUJER: Menos mal que tenemos puente el próximo fin de semana y podremos descansar.
HOMBRE: Sí, el jueves es 12 de octubre, ¿no? Pues mis padres quieren aprovechar ese puente para ir a Alicante.
MUJER: ¿Te vas a Alicante? Es que mi cumpleaños es el próximo sábado. Quiero hacer una fiesta un poco especial porque cumplo dieciocho.
HOMBRE: ¡Ah! Yo ya los cumplí hace dos meses. ¿Y qué planes tienes para la fiesta? Seguro que hay tarta de chocolate, tu favorita…
MUJER: ¡Pues no! He prometido a mi hermana que será de fruta, porque odia el chocolate.
HOMBRE: Pero ¡si es lo mejor del mundo! Por cierto, me ha dicho Ángela que os habéis cambiado de casa.
MUJER: No, todavía no. El próximo mes. Una casa preciosa. Estás invitado a la fiesta de inauguración, ¿eh? Oye, cambiando de tema, necesito un favor. Es que tengo un problema con el ordenador y como tú sabes tanto… ¿Puedes ayudarme a ver qué le pasa?
HOMBRE: ¡Claro! Dime cuándo puedes quedar y lo vemos. Pero ya te he dicho que tienes que comprar otro.
MUJER: Sí, quiero uno como el que tú compraste el año pasado, pero ahora no tengo dinero.

TAREA 4   Pista 10-13

Pista 10. Mensaje 1
Estimados clientes, les recordamos que hoy la firma Roberto Salvador para hombre le ofrece una oportunidad única: por la compra de dos camisas de la marca Lorenz de 25,99 €, la segunda le sale al 50%. No lo dude y venga a nuestra sección de caballeros. Estamos en la quinta planta.

Pista 11. Mensaje 2
Este es el contestador automático del Centro de Salud Gregorio Marañón. Les recordamos que el horario de atención al paciente es de lunes a viernes de 8:30 h de la mañana a 21:00 h de la noche. Para emergencias durante la noche o en fin de semana, llamar al 913478912.

Pista 12. Mensaje 3
Hola, Enrique. Aurora ya ha tenido su bebé, un niño precioso. Le van a llamar Antonio, como su abuelo. Ella está muy bien. Bueno, te llamaba porque queremos ir a verla. Está en la clínica Romero. ¿Quieres venir con nosotros? Llámame antes de las cuatro.

Pista 13. Mensaje 4
Atención, señores viajeros. Metro de Madrid informa. El próximo tren procedente de La Elipa en dirección a Cuatro Caminos no admite viajeros. Próximo tren dirección Cuatro Caminos no admite viajeros. Gracias.